빅데이터와 인공지능 기술을 활용한

디지털 마케팅

프롤로그

함께 근무하던 박 대리는 중고물건을 사서 한참을 사용하고 구매한 금액보다 더 높은 가격에 되파는 것으로 유명하다. 점심을 함께 먹으려, 그는 중고품을 제값에 판매하는 비법을 설명했다.

첫째, 물품을 구매하였을 때 받은 포장지, 사용설명서, 보증서 등을 버리지 말고 보관한다는 것이었다. 포장지와 설명서의 유무에 따라 물품은 최상급 중고물품과 최하급 중고물품으로 분류되게 된다는 것이다.

둘째, 사진을 찍는 방법이 중요한데, 비법은 아침 햇살이 비치는 시간에 찍는 것이라 했다. 그는 그동안 촬영한 중고물품 사진을 보여 주며 설명을 이어갔다.

마지막으로, 물건을 온라인 사이트에 내놓기 전에 다른 사람들이 올린 상품을 검색하고 가격과 조건을 설정해야 한다고 했다.

소상공인 마케팅 컨설턴트로 활동하면서 쇼핑몰을 운영하는 박 대표는 쇼핑몰에서 연간 수천만 원 정도의 수익을 내고 있다. 쇼핑몰 운영을 위해 투자되는 시간은 고작 1년에 몇 주 정도가 전부다. 그는 차별화 전략과 고객 맞춤상품의 중요성을 강조했다, 그의 쇼핑몰 상품은 다이어리가 전부다. 그렇지만 그는 다이어리의 맨 첫 페이지에 고객의 이름과 사진을 인쇄하여 맞춤형으로 제작하여 공급하고 있다.

마케팅 분야에서도 신규고객확보와 기존고객 유지를 위해 맞춤형 마케팅이 진행되고 있다. 고객의 특성과 그동안의 정보를 분석하여 관심 영상을 추천하거나, 관심 도서 추천 등 다양한 상품추천 서비스를 제공한다. 하지만 데이터 분석과 마케팅 전략 수립은 전문적인 지식이 필요해 어려움을 느꼈지만, 이제는 Chat GPT와 같은 인공지능 기술을 활용하면, 당신도 마케팅 전문가가 될 수 있는 환경이 마련되었다. 이 책은 빅데이터 분석 결과와 AI 기술을 활용해 신규고객 확보로부터 기존고객 유지까지 누구나 쉽게 접근하고 활용할 수 있도록 디지털 마케팅에 대해 단계별로 다루었다.

1. 디지털 환경에서의 소비자 행동 변화 이해

2. '필립코틀러의 마케팅 전략'을 통한 마케팅 기본 다지기

3. 신규소비자 확보를 위한 이벤트 기획과 전개

4. AI 기술을 활용한 마케팅 전개

이 책은 마케팅을 공부하는 대학생, 기업의 마케터, 중소기업의 창업자들이 ICT 융합 기술을 마케팅에 적용할 수 있도록 마케팅 기본 이론과 다양한 사례를 포함하였다. ICT 기술, 빅데이터 분석정보 및 인공지능기술을 기업의 마케팅 전략에 적용해 보시기 바랍니다.

2024년 8월 15일

저자 김찬기

차례

Chapter V 정부 지원 사업 바로 알기 *217*

Chapter 1

소비자 행동과 마케팅

1. 대상 고객의 구매 패턴을 알면, 고객 중심 마케팅 전개가 가능해진다.

마케팅이란 무엇인지를 한마디로 설명하기는 쉽지 않다. 필립 코틀러 Philip Kotler 는 마케팅을 소비자와 제공자가 교환을 통해 서로의 필요 욕구를 충족하려는 활동이라고 정의하였다. 소비자와 제공자가 상품이나 서비스를 교환하기 위해서는 다음 네 가지 조건이 요구된다.

첫째, 제공자와 소비자가 존재하여야 한다. 즉, 상품이나 서비스를 제공하는 사람과 이를 소비하는 사람이 있어야 한다. 제공자는 상품이나 서비스를 생산하거나 판매하는 역할을 하고, 소비자는 이를 구매하여 사용하는 역할을 하게 된다.

둘째, 제공자와 소비자는 서로에게 필요를 충족시켜줄 수 있는 가치를 가지고 있어야 한다. 즉 제공자는 소비자의 욕구를 만족시킬 수 있는 상품이나 서비스가 있어야 하고, 소비자는 상품이나 서비스에 대한 대가를 지불해야 한다.

셋째, 상품을 알릴 수 있는 시장과 소유권 이전 및 그것을 사용할 수 있는 권한이 법적으로 보호되어야 한다.

넷째, 상품교환을 선택할 수도 있고, 거부할 수도 있는 자유가 보장되어야 한다.

위와 같은 조건을 전제로 상품이나 서비스 교환이 이루어진다면 교환 전보다 교환 후의 만족도가 높아지게 되며, 소비자는 제품 사용이나 서비스 경험에 대해 긍정적인 피드백을 해준다. 소비자는 제공자에게 단지 가격을 지불하고 정보를 주는 것을 넘어 제공자에 대한 애호심과 존경심까지 줄 수 있어 장기적인 무형자산의 원천이 되기도 한다.

마케팅 관점을 사업적 측면, 기업적 측면에서 정의할 필요가 있다. 미국 마케팅협회 (AMA, American Marketing Association)에 따르면, 마케팅은 고객에게 가치를 창출하고 커뮤니케이션 및 전달하는 과정으로, 이를 통해 고객과의 장기적 관계를 도모하는 것이라고 했다. 즉, 마케팅은 기업의 이윤 추구뿐만 아니라 관련 이해관

빅데이터와 인공지능 기술을 활용한 디지털 마케팅

계자들(파트너 기업, 정부, 공공 기관, 소비자 단체 등)의 이익에 도움이 되는 목적의 모든 활동으로 정의할 수 있다.

2. 소비자는 후기를 보고 물건을 구매하는데, SNS 관리가 필요 없다고?

 자동차가 멋있어졌네! 나는 연수원 주차장에서 박 대리 자동차를 보며 한마디 했다. 자동차 튜닝이 취미인 박 대리의 자동차는 워낙 독특해서 멀리서도 눈에 띈다. 사람들은 자신의 취미에 관한 질문을 받으면 표정이 밝아지면서 흥분된 표정으로 장황한 설명을 하곤 한다. 박 대리도 마찬가지이다. 그는 지난 주말에 자동차 천장의 방음 작업과 바닥 방음 작업을 어떻게 했는지 눈에 보이듯 설명했다. 그는 방음 작업을 위한 모든 물품을 인터넷을 통하여 조사하고, 소비자들의 추천 글이나 댓글을 참조해 구매했다고 했다.

 과거에는 제품을 생산하고 공급하기만 하면 소비자들이 이를 구매했다. 그러나 제품 공급이 폭발적으로 증가하면서 기업들은 경쟁 체제에 진입해야 했고, 상황은 제품 차별화와 공급자 중심에서 소비자를 끌어들이는 소비자 중심으로 변화되었다. 소비자 중심의 마케팅 전략이 등장하게 된 것이다. 따라서 소비자의 구매 행동을 예측하는 것은 필수 과제가 되었다.

소비자의 행동Consumer Behavior은 개인 및 조직이 제품이나 서비스를 구매하는 것과 관련된 일련의 행동과 심리적 의사결정 과정을 의미한다. 대표적인 소비자 구매행동 모델에는 AIDA, AIDMA, AISAS, AISCEAS이 있다.

가. AIDA 모델의 개념과 특성

아이다AIDA 모델은 1898년 미국의 루이스Lewis가 소비자의 구매 행동을 설명하기 위해 제안한 최초의 이론이다. 이 모델은 주의Attention, 관심Interest, 열망Desire, 행동Action으로 구성되어 있다.

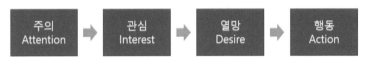

< AIDA 모델의 구매 행동 프로세스 >

소비자는 AIDA 모델의 네 단계를 거쳐 구매 심리를 경험하고, 이 일련의 과정은 광고에 노출되어 최종 구매에 이르기까지의 소비자 행동을 생각하는 과정이라고 할 수 있다. 광고나 영상 매체와 같은 커뮤니케이션 도구에서 전달되는 메시지에 자극을 받아 제품에 주

목하면, 그 제품에 흥미를 느끼게 되고, 구매 욕구가 생겨 최종 구매 단계로 이어지게 된다.

1) 주의Attention

AIDA 모델의 첫 번째 단계는 주의Attention 단계이다. 소비자는 특정 자극으로 인해 주의를 기울이게 되고 노출된 여러 정보 중 자신의 상황에 맞고 관심 있는 정보에 집중하게 되며, 이를 선택적 주의Intentional Attention라고 한다. 따라서 기업은 기업에서 유통하는 제품이나 서비스 상품에 대하여 소비자가 인지할 수 있도록 하여야 한다.

2) 관심Interest

주의 단계를 거쳐서 나타나는 심리 반응인 관심Interest은 상품을 구매하기 전에 상품정보를 찾게 만드는 원동력이 되며, 구매 행동의 전 단계인 열망Desire을 수반한다. 관심은 어떠한 대상에 대해 특별한 관심을 기울이는 경향, 감정 또는 태도를 의미한다. 이는 정보처리 과정에서 소비자가 자연스럽게 가지는 생각을 의미하는 인지적 관여와 정보처리 과정에서 소비자가 자연스럽게 가지는 감정이나 느낌을 의미하는 감정적 관여로 분류할 수 있다.

3) 열망Desire

빅데이터와 인공지능 기술을 활용한 디지털 마케팅

열망Desire은 욕구Needs 그리고 필요Wants 와 밀접한 관련이 있는 개념이며, 관심 단계 이후 상품, 서비스 등을 소유하고자 하는 단계이다. 욕구는 상품의 기능적인 편익을 얻고자 하는 실용적 욕구와 자기표현의 상징적 또는 쾌락적 효용을 위한 감성적 욕구를 포함한다.

4) 행동Action

AIDA 모델의 마지막 단계는 상품을 구매하거나 브랜드를 선택하는 행동 단계이다. 1898년 루이스Lewis는 광고를 통한 그의 초기 구매 행동모델인 AID에 판매자 관점의 행동 단계의 추가가 필요하다고 주장하면서, AIDA 4단계 모델을 완성하였다.

나. AIDMA 모델과 AISAS 모델

아이다AIDA 모델에 이어 미국의 경제학자 새뮤얼 로런드 홀Samuel Roland Hall은 1924년 AIDMA 모델을 제시했다. 광고학에서 많이 사용하는 오프라인 마케팅 모델인 AIDMA는 주의Attention, 관심 Interest, 열망Desire, 기억Memory, 행동Action의 5단계로 구성되었다. 소비자는 기억에 남는 브랜드나 제품을 기반으로 구매하기 때문에 광고는 소비자의 관심과 욕구를 자극하고 제품을 기억하도록 유도해야 한다. 그러나 AIDMA 모델은 급변하는 현대 소비자의 구매 성향을 반영하지 못하여 AISAS 모델이 등장했다

일본의 광고회사 덴쓰Dentsu가 제시한 아이사스AISAS 모델은 인터넷 시대에 맞춰 고안된 새로운 소비자 행동모델이다. AISAS 모델은 주의Attention, 흥미Interest, 검색Search, 행동Action, 공유Share의 5단계로 구성되어 있다. AIDMA 모델과 AISAS 모델의 각 단계를 비교하면 다음과 같다.

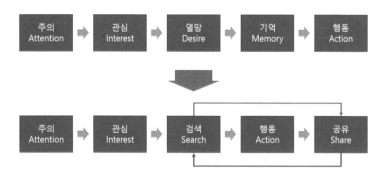

<AIDMA 모델과 AISAS 모델의 차이>

구매모델의 각 단계를 비교해 보면, AISAS의 가장 큰 차이점은 소비자가 관심을 가지게 되면 바로 상품을 검색하게 된다는 점이다. 인터넷으로 가격, 제품의 성능, 디자인 등에 대한 정보를 쉽게 검색할 수 있으며, 제품의 정보가 부족할 경우 이미지 기반 검색 서비스를 이용할 수도 있다. 또한, 소비자들은 제품을 구매한 후 구매 사이트나 개인 블로그에 사용 후기와 이미지를 올리는 경우가 많다. 소비자는 기업이나 전문가가 제공하는 정보보다 다른 사용

자가 작성한 정보를 더 신뢰하는 경향이 있다. 이러한 사용자 생성 콘텐츠는 신규 소비자의 구매 결정에 큰 영향을 미치고 있다.

다. AISCEAS 모델

일본 안비커뮤니케이션즈 Amviy Communications 의 CEO인 망야카즈미 Kazumi Mangya 는 감정적 가치가 높은 대량 소비재가 대량 광고를 통해 인지도를 확대함으로써 AIDMA 모델에 따라 소비자 행동을 유도할 수 있다고 말했다. 그러나 기능성 가치가 높은 제품의 경우 소비자들은 상세한 정보를 바탕으로 검색, 비교, 구매하는 경향이 있다. 이러한 행태를 반영하여 AISAS 모델에 비교 및 검토 단계가 추가된 아이스시스 AISCEAS 모델을 2005년에 개발하였다.

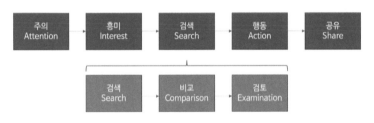

< AISCEAS 모델의 구매 행동 프로세스 >

라. 소비자 불만 연구보고서

"부탁이 있는데요"

"네, 말씀하세요"

"문자로 보내드린 식당을 방문하고, 후기 좀 써 주실 수 있나요?"

"써드릴 수 있습니다. 그런데 갑자기 왜죠?"

"컨설팅하던 업체인데 글이 올라와서 삭제할 수는 없지만, 눈에 안 띄게 밑으로라도 보내야 할 것 같아서요"

마케팅 연구소를 운영하는 강 대표의 전화다. 소상공인늘이 불만 댓글에 민감하여 고객 만족에 신경 쓰고 있지만 때로는 감당하기 어려운 무리한 요구를 하는 소비자가 발생되기도 한다. 불만 댓글에 대응하는 방법도 상황에 따라 다양하다.

스튜디오를 운영하는 오 대표는 불만 댓글이 있어 작성한 소비자에게 직접 전화를 하여 차근차근 설명하여 오해를 풀어 소비자가 불만 댓글을 직접 삭제했다고 했다. 소비자 중에는 불만 내용을 깊게 생각하지 않고 인터넷에 올리는 경우가 있다. 때로는 오해에서 발생하는 불만임에도 말이다. 오해에서 발생한 불만인 경우에도 기업이나 소상공인이 받게 되는 금전적 손실과 기업에 대한 부정적 이미지로 입는 잠재적 피해는 생각보다 클 수 있다.

펜실베이니아 대학교 와튼 스쿨Wharton School은 소비자 불만에 관한 연구 보고서를 발표했다. 불만족한 소비자의 행동을 연구한 결과는 마케팅 담당자에게 중요한 메시지를 주고 있다. 불만족한 고객 중 63%는 침묵을 지켰고, 6%만이 회사에 직접 불만을 표현한 것으로 나타났다. 그러나 조사에 따르면 소비자의 31%는 회사에 직접 불만을 제기하지 않고 동료, 친구, 가족과 부정적인 경험을 공유하는 것으로 나타났다.

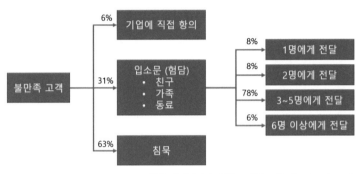

출처: 펜실베니아 대학교 와튼스쿨 연구보고 (2006)

< 소비자 불만 연구보고서 >

부정적 경험을 타인과 공유한 31%의 소비자를 분석한 결과, 부정적 경험을 1명에게 전달한 경우가 8%, 2명에게 전달한 경우가 8%, 3명에서 5명에게 전달한 경우가 78%, 6명 이상에게 전달한 경우가 6%로 나타났다. 이와 같은 부정적 메시지는 더 빨리 전달되는 특징이 있는데, 이를 부정편향Negativity bias 이라고 한다. 즉, 사람들은 긍정적 메시지보다 부정적 메시지에 더 민감하게 반응한다는 것이다.

최근에는 인터넷 쇼핑몰을 통하여 제품을 구매하거나, 인터넷을 통한 커뮤니케이션이 활성화됨에 따라 소비자의 구매 후기가 미치는 범위와 영향이 더욱 커졌다. 오프라인 매장에서 구매한 고객도 인터넷에 후기를 남기기도 하고, 불만족한 한 사람의 부정적 메시지가 온라인에서는 급속히 확산될 수 있다. 이는 구매후기의 영향력이 강력해져, 극단적인 경우에는 기업 존폐에 영향을 미치기도 한다.

빅데이터와 인공지능 기술을 활용한 디지털 마케팅

Chapter 2

문제는 마케팅 전략 부재

1. 필립 코틀러의 마케팅 전략

한국후지제록스에서 약 30년의 직장생활을 하면서, 미국 캘리포니아주에 있는 제록스 팔로알토 연구소 ^{Xerox Palo Alto Research Center}에서 정말 많은 개발이 이루어졌다는 사실을 알게 되었다. 레이저 프린터, 이더넷, 그래픽 사용자 인터페이스 GUI ^{Graphical user interface} 개념, 객체 지향 프로그래밍, 키보드가 아닌 마우스로 작동하는 개인용 컴퓨터 기술, VLSI 기술 등 많은 핵심기술이 제록스에서 개발되었다.

제록스 PARC에서 이더넷을 개발한 멧칼프 ^{Metcalfe}는 1979년 제록스를 떠나 3 Com에 합류했다. 개인용 컴퓨터 기술은 스티브 잡스가 며칠 동안 제록스 연구소를 견학한 뒤 애플로 돌아와 매킨토시 컴퓨터를 선보이면서 처음 세상에 소개됐다.

II. 문제는 마케팅 전략 부재

제록스가 첨단기술 선도기업으로 도약할 기회를 놓친 이유는 새로운 기술을 상품화하여 기업의 성과에 연결하는 마케팅 전략의 실패로 보인다. 마케팅 전략에는 시장 분석, 의사결정, 구현 및 관리, 언제, 어떻게, 어떤 고객에게 제품을 출시하고 확장할지 등이 포함된다.

노스웨스턴대학교 켈로그 스쿨^{Kellogg School of Northwestern University}

의 필립 코틀러^{Philip Kotler}는 마케팅의 각종 개념을 세상에 널리 알렸다. 필립 코틀러가 제시한 전략적 마케팅 프로세스는 'R-STP-MM-I-C의 5단계로 구성되어 있다.

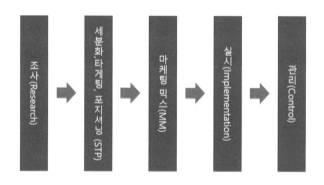

< 필립 코틀러의 전략적 마케팅 프로세스 >

가. 조사^{Research}

Philip Kotler의 마케팅 전략의 첫 번째 단계는 조사^{Research} 단계

빅데이터와 인공지능 기술을 활용한 디지털 마케팅

이다. 이 단계의 목표는 고객 불만이나 문제를 파악하고, 이상적인 제품이나 서비스를 설계하고, 이러한 통찰력을 활용하여 효과적인 마케팅 전략을 수립하는 것이다.

따라서, 쉽고 논리적인 조사를 가능하게 하는 다양한 웹사이트와 수집된 정보를 체계적으로 분석하고 보고할 때 활용할 수 있는 프레임워크에 대해 설명하고자 한다.

1) 정보획득을 위한 웹사이트

데이터는 개별 사건에 대한 정보를 의미한다. 예를 들어 고객으로부터 접수된 고장접수 정보는 데이터라 할 수 있다. 이러한 데이터를 1년에 걸쳐 기록하고, 월별, 요일별로, 유형별로 분류하면 통계정보가 된다. 누적된 다양한 정보 데이터를 분석하고, 가치를 만들어내는 기술들이 빠르게 발전하고 있으며, 마케팅 분야에서도 데이터를 활용한 상품추천, 관심 정보제공 및 맞춤형 마케팅 전략으로 활용되고 있다.

데이터와 관련된 기초이론과 마케팅 활용 사례를 살펴본다.

가) 소상공인상권정보시스템 https://sg.sbiz.or.kr

소상공인진흥원에서 운영하는 본 사이트는 빅데이터를 분석하여 상권, 입지분석 등 지역 상권과 관련된 정보를 제공하고 있다. 지역과 업종을 선택하면 해당 지역 내 해당 업종의 월평균 예상 매출액과 업종별 업체 수, 요일별, 시간대별 유동인구 데이터를 확인할 수 있다. 이 정보는 컴퓨터나 모바일 앱을 통해 확인할 수 있다.

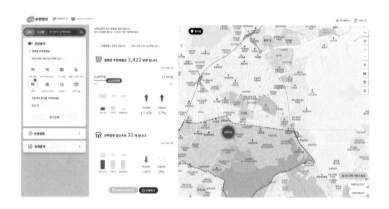

< 소상공인 상권분석 시스템 화면캡처 >

나) 네이버 데이터랩 https://datalab.naver.com/

네이버 데이터 랩은 대한민국 최고의 온라인 플랫폼 중 하나인 네이버가 제공하는 강력한 데이터 분석 플랫폼이다. 이는 검색 동향을 추적하고 분석하기 위한 포괄적인 도구 역할을 하며 사용자는 시간 경과에 따른 특정 키워드의 인기에 대한 통찰력을 얻을 수 있으며 계절적 패턴, 지역적 변화, 인구통계학적 검색동향의 차이를 파악할 수 있다.

빅데이터와 인공지능 기술을 활용한 디지털 마케팅

또한, 새로운 문제와 인기 주제를 실시간으로 추적하여 현재 사건과 여론에 대한 최신 정보를 파악할 수 있어, 미디어, 마케팅, 홍보 담당자에게 유용하다.

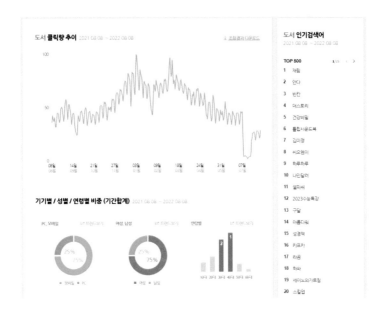

< 네이버 데이터랩 >

다) 구글 트렌드 https://trends.google.co.kr/

Google Trends를 사용하면 검색 정보를 기반으로 Google 사용자의 관심분야와 시간별, 지역별 변화를 확인할 수 있다. 특히, 전세계 여러 국가의 정보를 파악하고 분석할 수 있다는 장점이 있다.

II. 문제는 마케팅 전략 부재

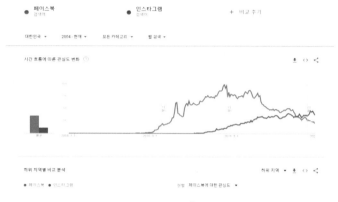

< 구글 트렌드 >

라) 썸트렌드 https://some.co.kr/

썸트렌드는 소셜 데이터 분석 서비스를 제공한다. 분석 기간과 조사하고 싶은 SNS 채널을 선택하면, 분석 결과 요약과 일일 트렌드를 그래프로 볼 수 있으며, 그래프의 특정 날짜에 마우스 커서를 올리면 미디어 플랫폼별 상세 데이터도 확인할 수 있다.

< 썸트렌드 >

빅데이터와 인공지능 기술을 활용한 디지털 마케팅

마) 오디피아 https://odpia.org/

오피아ODpia는 LG CNS가 2016년부터 제공하는 오픈 데이터 플랫폼으로, 다음과 같은 다양한 서비스를 제공한다.

첫째, 서비스는 언론사, 블로그, SNS 등 소셜미디어에서 언급되는 주제별 키워드를 분야에 따라 분류한 쇼셜분석.

둘째, 공공기관에서 공개한 데이터를 다운받거나 오디피아 분석 툴로 살펴볼 수 있는 데이터 얼라이언스.

셋째, 빅데이터 분석과 관련 있는 어플리케이션과 서비스를 등록하고 공유할 수 있는 앱 & 서비스 등이 있다.

< 오디피아 >

II. 문제는 마케팅 전략 부재

35

바) 블랙키위 https://blackkiwi.net/

블랙키위는 방대한 웹 데이터를 기반으로 키워드 검색 및 시각화 서비스를 제공하여 누구나 쉽게 분석 결과를 확인할 수 있도록 해준다. 월간 모바일 및 PC 검색량에 대한 인사이트를 제공하고, 이전 데이터를 바탕으로 낭월 검색량을 예측하며, 득정 키워드에 내해 블로그나 카페에 게시된 콘텐츠의 발행량을 확인할 수 있다. 또한 연관키워드와 검색 트렌드 등의 정보를 제공한다.

< 블랙키위 >

사) 에스트리 https://www.s-tree.co.kr/

분야별 이슈 파악, 사용자 관심 키워드 흐름 분석 등 포털사이트의 반응데이터를 확인할 수 있는 빅데이터 시스템이다.

빅데이터와 인공지능 기술을 활용한 디지털 마케팅

< 에스트리 >

아) 통계청 https://kostat.go.kr/

통계의 기준설정과 인구조사, 각종 통계에 관한 사무를 관장하는 행정기관으로 인구통계를 포함하여 산업별 다양한 정보를 제공한다.

< 통계청 >

자) 공공데이터 포털 https://www.data.go.kr/

공공기관이 데이터를 생성, 유지, 관리하는 데이터에 접근할 수 있는 중앙화된 사이트이다. 또한 오픈 API를 통하여 실시간으로 업데이트된 정보를 수집할 수 있다.

< 공공데이터 포털 >

차) 서울 열린데이터 광장 https://data.seoul.go.kr/

서울열린데이터광장은 다양한 서울시 관련 공공데이터를 제공한다. 서울 열린 데이터 광장을 통하여 보건, 일반행정, 문화/관광, 산업/경제, 복지, 환경, 교통, 도시관리, 교육, 안전, 인구/가구, 주택/건설 등의 서울과 관련된 다양한 데이터세트에 접근할 수 있다.

빅데이터와 인공지능 기술을 활용한 디지털 마케팅

< 서울 열린데이터 광장 >

2) 체계적 분석, 보고서에 활용 가능한 프레임워크

마케팅 환경분석은 거시적 분석과 미시적 분석으로 분류할 수 있으며, 보고서에 자주 사용하는 분석 프레임에는 PEST, SWOT, 3C 분석, 5 Forces 등이 있다.

가) PEST 분석

거시환경 분석 도구로 활용되는 PEST 분석은 시장 축소, 사업 포지셔닝, 사업 방향 설정에 도움을 준다. PEST Political, Economic, Social and Technological 분석의 주요 4가지 요소를 살펴보면 다음과 같다.

II. 문제는 마케팅 전략 부재

첫째, 정치적Political 요소에는 정부 정책의 변화, 세금, 노동법, 무역 제재, 환경법, 관세, 규제, 정치적 이슈 등이 포함된다. 예를 들어, 한미 FTA 변화 등이 기업의 경제적 활동에 미치는 주요 요소로 포함될 수 있다.

둘째, 경제적Economic 요소에는 경제성장률, 환율의 변화, 금리의 변화, 인플레이션 등이 포함된다. 경제적 요소의 변화는 기업의 경제활동 및 방향 설정에 막대한 영향을 준다. 예를 들어 환율변화는 기업매출이 감소 되지만 기업이익을 증가시키기도 하고, 매출을 증가시키고 이익을 감소시키기도 한다.

셋째, 사회적Social 요소에는 인구통계학적 변화, 직업의 상태, 소비자의 니즈, 트렌드, 소비자의 라이프사이클, 종교적 이슈, 문화적 요소 등이 포함된다. 예를 들어 우리나라는 최근 저출산, 인구 고령화 및 1인 가구가 증가하고 있다. 고령인구가 증가하면 노동인구가 감소하여 노동투입비용이 증가하므로 기업경제 활동에 영향을 미치게 된다.

넷째, 기술적Technological 요소에는 기업의 비즈니스와 관련된 기술, 정보통신, 특허 및 지적 재산권 등이 포함된다. 새로운 기술이 계속적으로 생겨나면서 많은 부분이 자동화되고 있고, 기존의 기

빅데이터와 인공지능 기술을 활용한 디지털 마케팅

술은 저효율, 저품질로 시장에서 추방되기도 한다. 기술의 변화는 진입장벽, 아웃소싱, 효율화, 품질개선 등의 기업경제 활동에 영향을 미치고 있다.

PEST 분석으로 기업 스스로 통제할 수 있는 영역과 통제할 수 없는 영역을 확인하고, 사업의 방향성 설정을 위한 도구로 활용할 수 있다.

나) SWOT 분석

SWOT 분석은 1960대 스탠포드 대학의 알버트 험프리 ^{Albert S. Humphrey}가 고안한 전략개발 도구이다. 그는 기업의 중장기 계획이 왜 실패하였는지를 분석하기 위해 SOFT 분석을 고안했는데 이것이 오늘날의 SWOT 분석의 초석을 마련해 주었다.

< SOFT 분석 >

가) 이후 하버드대학의 케네스 앤드류Kenneth Andrews는 <The Concept of Corporate Strategy, 1971>에서 SWOT 분석을 사용하였는데 이것이 오늘날과 같은 형태의 SWOT 매트릭스가 되었다. SWOT 분석 매트릭스는 강점Strength, 약점Weakness, 기회Opportunity, 위협Threat 요소를 분석하고 이를 바탕으로 전략을 수립하는 기법으로 널리 사용되고 있는 도구이다.

< SWOT 매트릭스 >

SWOT 분석을 통하여 기업의 내부 환경요인에 속하는 강점과 약점을 분석하고, 기업의 외부 환경요인에 속하는 기회와 위협요소 분석의 결과를 바탕으로 강점은 살리고, 약점은 보완하며, 기회는 활용하고, 위협은 억제하는 전략을 수립할 수 있다.

SWOT 분석의 응용모델인 토우분석 TOWS 분석은 샌프란시스코

빅데이터와 인공지능 기술을 활용한 디지털 마케팅

대학의 하인트 웨이리치[Heinz Weihrich] 교수가 그의 논문에서 새롭게 만들어낸 모델로 오늘날 대중적으로 알려진 SWOT분석의 최신 버전이라 할 수 있다. TOWS 분석을 통해 SO 전략, ST 전략, WO 전략, WT 전략 총 4가지 유형의 전략을 도출할 수 있다.

< TOWS 매트릭스 >

다) 3C분석

손자병법에서 지피지기 백전불태(知彼知己 白戰不殆)라 하였다. 기업에서 진행하는 프로젝트가 고객, 경쟁사와 관련이 있는 경우, Company(자사), Customer(고객), Competitor(경쟁사)에 대한 3C 분석 도구를 활용할 수 있다. 그러나 막상 3C 분석을 하려고 하면 분석해야 하는 항목이 떠오르지 않아 어려움을 겪을 때가 있다. 문서작성의 목적에 따라 분석항목이 달라질 수 있지만, 아래 표에는 일반적인 예시가 나와 있다.

(3C 분석을 위한 참고내용)

구분	분석방법
Company	- 자사의 핵심역량에 대한 분석 - 인적, 물적, 시스템에 대한 파악
Customer	- 시장의 규모에 대한 분석 - 소비자의 소비패턴, 구매요인 - 소비자의 라이프 사이클 - 고객의 Needs 파악 - 유, 무형 상품별 고객유지율, 시장점유율에 대한 분석 - 시장의 성장가능성에 대한 분석 - 각 세분화된 시장별 잠재예측 수요에 대한 분석
Competitor	- 현재 경쟁사에 대한 분석 - 잠정적 경쟁사에 대한 분석 - 경쟁사의 강점 및 약점에 대한 분석 - 차별화된 경쟁사의 역량, 전략에 대한 분석

  단순하게 논리적인 문서로 보이기 위하여 3C 형식으로 구성하는 요식행위로는 긍정적인 결과를 얻기 어려우며, 문서작성의 시간만 소비하게 된다. 문서작성의 목적에 적합하게 활용하는 것이 중요하다.

라) 5 Forces 분석

  1980년 저서 "경쟁전략"에서 Michael E. Porter 교수는 산업 조직 이론의 산업 구조 분석을 적용하여 비즈니스에 쉽게 적용할 수 있는 5 Forces 분석을 소개했다. Porter의 모델에 따르면 산업환경에 영향을 미치는 5가지 요소는 전통적인 경쟁자Traditional Competitors, 신규 시장진입자 New Market Entrants, 대체품과 서비스Substitute and

^{Services}, 고객^{Customers} 그리고 공급자^{Suppliers}이다.

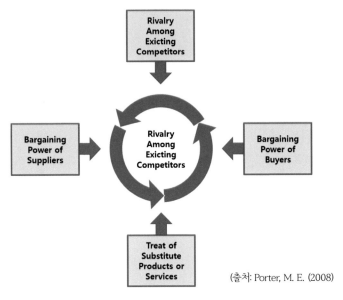

(출처: Porter, M. E. (2008)

< The Five Forces >

전통적인 경쟁자^{Traditional Competitors}

하나의 회사가 하나의 업계 전체를 독점하는 경우는 드물다. 따라서 기존 산업 내에서의 경쟁은 기업 가치와 수익성을 결정하는 데 매우 중요하다. 기업은 가격, 품질, 차별화 전략을 통해 고객 충성도를 높이고 시장 점유율을 확대하기 위한 경우가 많다.

신규 시장진입자^{New Market Entrants}

수익성이 높고 성장 가능성이 높은 산업에서는 많은 신규 기업이 시장에 진입하는 경향이 있다. 따라서 진입장벽이 낮아지면 기존 기업의 이익은 감소할 가능성이 높다. 이러한 새로운 경쟁자의 유입은 경쟁을 심화시켜 가격 경쟁, 마케팅 비용 증가, 시장 점유율 유지를 위한 혁신의 필요성으로 이어질 수 있다.

대체품과 서비스 Substitute and Services

고객은 저렴하면서도 품질이 좋은 상품을 원한다. 우수하고 저렴한 대체 상품이 출시되면 고객은 다른 기업 고객으로 이탈하게 되어 기업이익이 감소하게 된다. 대체품과 서비스가 많을수록 회사의 위험은 높아지게 된다.

기술 발전으로 인해 새로운 대안의 출현이 가속화됨에 따라 시장 상황을 모니터링하고 신속하게 대응책을 실행하는 것이 중요하다. 또한 대체품이나 서비스 개발로 기존 시장을 완전히 대체하거나 새로운 시장을 창출할 수도 있다.

고객 Buyers

구매자 교섭력은 구매자가 공급자에 대해 갖는 영향력을 의미한다. 구매자가 상당한 권력을 보유하면 더 낮은 가격이나 더 높은 품질의 제품을 요구할 수 있으며 이는 공급업체의 수익성에 영향을 미칠 수 있다. 효과적인 협상과 구매자와의 힘의 균형 유지는 수익성과 시장 지위를 유지하는 데 필수적이다.

공급자Suppliers

공급업체 협상은 기업 경영에 있어서 매우 중요하다. 일례로 2019년 일본은 반도체·디스플레이 제조에 필수적인 핵심 소재(포토레지스트, 불화수소, 불화폴리이미드)의 한국 수출을 제한했다. 이러한 제한은 공급업체가 가질 수 있는 상당한 영향력을 예시한다. 이러한 움직임은 한국 기업의 수익성과 생산 능력을 위협했으며, 단일 공급업체에 대한 의존도가 가격 인상, 공급망 중단 등, 이러한 영향을 완화하기 위한 대체 소스의 필요성과 같은 위험으로 이어질 수 있음을 보여주었다.

공급업체 관계를 관리하고 힘의 균형을 유지하는 것은 일관된 품질과 비용 관리를 보장하고 궁극적으로 회사의 수익성을 보호하는 데 필수적이다.

나. STP Segmentation, Targeting, Positioning

STP는 시장세분화Segmentation, 목표시장 설정Targeting, 포지셔닝Positioning을 의미한다.

1) 시장 세분화Segmentation

기업의 역량과 기업의 특성에 맞게 대상시장을 선정하기 위하여 기업은 우선, 시장을 세분화한다. 시장을 세분화하기 위한 기준은 지리적, 인구통계학적, 심리 묘사적, 행위적 등 다양하다. 시장세분화를 할 때 아래의 몇 가지 조건을 충족하면 된다.

첫째, 측정가능Measurable해야 한다. 이는 해당 부문의 인구통계, 구매력 및 행동을 이해할 수 있는 데이터에 액세스할 수 있음을 의미하며, 정확하게 측정하려면 신뢰할 수 있는 데이터 소스와 분석 도구가 필수적이다.

둘째, 충분히 커야Substantial 한다. 시장 부문은 수익성이 있고 비즈니스 노력을 정당화할 만큼 충분히 커야 한다. 적절한 구매력을 갖춘 충분한 수의 잠재 고객이 있어야 하며, 소규모 시장에서는 마케팅 및 운영 비용을 충당할 만큼 충분한 수익을 제공하지 못할 수 있다.

셋째, 차별성Differentiable이 있어야 한다. 각 시장 부문은 다른 부문과 차별화되는 고유한 요구 사항, 선호도 및 행동을 가지고 있어야 한다. 즉, 세분된 시장의 특성이 있고, 세분화시장에 대한 각각의 대응 방법도 달라야 한다.

빅데이터와 인공지능 기술을 활용한 디지털 마케팅

넷째, 접근 가능해야 한다. 시장 부문은 적절한 마케팅 채널을 통해 접근 가능하고 서비스 가능해야 한다. 이는 해당 부문과 효율적으로 제품이나 서비스를 전달하고 커뮤니케이션할 수 있는 수단이 있음을 의미한다.

다섯 번째, 세그먼트는 리소스와 전략을 통해 목표로 삼기에 실용적이어야 한다. 기업은 마케팅 전략을 구현하고 해당 부문의 요구 사항을 효과적으로 충족할 수 있는 능력을 갖추고 있어야 한다.

2) 목표시장 설정Targeting

세분화된 시장에서 타겟팅할 하나 이상의 세그먼트를 선택한다. 어떤 부문이 가장 큰 잠재력을 제공하는지, 그리고 해당 부문이 회사의 자원 및 역량과 어떻게 부합하는지를 고려하여 목표시장을 설정하며, 목표시장 선정의 유형으로는 다음과 같다.

첫째, 단일 세분시장 집중전략 단일 세분시장 집중전략은 기업이 집중할 하나의 세분시장을 선정해 거기에만 집중하는 것으로 한 세분시장에 기업의 자원을 쏟아 붓기 때문에 그 시장에서 만큼은 다른 기업에 비해 경쟁력을 가질 수 있다.

최근에는 개별 고객을 대상으로 하는 맞춤형 마케팅을 전개하기도 한다. 이러한 고도로 개인화된 접근 방식은 고급 데이터 분석 및 디지털 마케팅 기술을 통해 구현되는 경우가 많다.

둘째, 상품전략화 전략 기업은 하나의 상품으로 여러 세분시장을 공략할 수도 있다. 실험실 장비를 대학, 기업 연구소, 정부 연구소 등 여러 연구소를 대상으로 판매할 수 있다. 그러나 각 시장 특성에 맞는 상품을 개발한 기업으로 고객이 이탈할 수 있다는 위험이 있다.

셋째, 시장 전문화 전략 시장 전문화 전략은 하나의 시장을 정하고 그 시장 안에서 필요한 상품을 모두 제공하는 것으로, 기업 연구소에 다양한 실험장비를 납품하는 기업을 예로 들 수 있다.

넷째, 선택적 전문화 전략 선택적 전문화 전략은 기업이 몇 개의 세분 시장을 선정하는 것이다. 각 세분 시장은 서로 연관성이 없는 경우라고 수익성과 기업의 핵심역량과 맞아야 한다. 기업의 자원이 분산된다는 단점이 있으나, 위험을 분산할 수 있다는 장점도 있다.

다섯 번째, 전체 시장 대응 전략 전체 시장 대응 전략을 전개하는 기업은 모든 사람 들이 필요로 하는 상품을 그 전체 시장에 제공한다. 전체 시장 대응 전략을 전개하기 위한 기업의 자원과 상품

빅데이터와 인공지능 기술을 활용한 디지털 마케팅

의 구성을 고려했을 때 대기업이 아닌 경우 선택하기 어려운 마케팅 전략이다.

3) 포지셔닝 Positioning

미국 마케팅협회인 AMA^{American Marketing Association}에 따르면, 포지셔닝 Positioning 이란 '세분 시장 내에서 특정 상품이나 브랜드가 특별하고도 가치 있는 것으로 자리 잡도록 하는 전략적 절차'이다. 즉, 목표로 할 시장이 결정되었다면 소비자의 마음속에 자신의 브랜드나 상품과 관련한 특정한 이미지를 떠올리게 하는 총체적인 전략적 과정을 의미한다. 포지셔닝 전략을 전개하기 위하여 두 가지 측면을 고려해야 한다.

첫 번째는 포지셔닝 포인트를 무엇으로 할 것인가? 이다. 포지셔닝 포인트의 분류는 상품 차별화 전략, 서비스 차별화 전략, 인적자원의 자별화 전략, 채널 차별화 전략 그리고 기업 이지나 브랜드 이미지의 차별화 전략으로 분류할 수 있다.

두 번째는 소비자의 마음속에 어떤 차별적인 이미지를 전달할 것인지 결정하였다면, 기업은 결정된 포지셔닝 포인트를 소비자에게 어떻게 전달하고 인식시킬 것인가에 대하여 고민해야 한다.

다. 마케팅 믹스 (4P 전략)

STP^{Segmentation, Targeting, Positioning} 전략은 4P로 알려진 4가지 주요 변수로 개발되는 마케팅 믹스를 통해 효과적으로 전개된다. 즉 소비자에게 제공되는 제품^{Product}, 가격^{Price}, 시장^{Place}, 프로모션 ^{Promotion}에 대한 구체적인 실행계획을 세우는 것이다.

1) 제품^{Product}

소비자에게 제공되는 제품은 물리적인 제품, 서비스, 기타제품으로 분류된다. 전통적으로는 물리적 제품과 서비스 상품에 중점을 두었지만, 이제는 경험, 이벤트, 사람, 장소, 정보, 아이디어 등으로 범위가 확장되었다. 또한, 제품은 일반 소비자를 대상으로 하는 소비재, 기업을 대상으로 하는 산업재 그리고 아이디어, 장소 등의 기타로 분류된다. 소비재는 다시 편의품, 선매품, 전문품, 비탐색품으로 세분화된다. 이렇게 분류된 상품 특성에 따라 소비자의 구매 방식이 다르므로 이에 맞는 마케팅 전략이 필요하다.

가) 소비재

편의품^{Convenience goods}

일반적으로 편의점에서 구매할 수 있는 상품들이 해당된다. 편의품 구매의 특징은 소비자들이 구매하기 전에 정보를 파악하고, 상품을 비교하는 등의 노력을 하지 않는다는 것이다. 편의품은 필수품, 충동품 그리고 긴급품으로 분류된다. 치약, 칫솔, 비누, 휴지 등은 '필수품'에 포함되며, 계획 없이 구매하는 과자, 껌, 캔디 등은 '충동품'에 포함된다. 그리고 급한 상황에서 구매하는 '긴급품'에는 우산, 건전지 등이 포함된다.

선매품 shopping goods

편의품의 구매 방법과 다르게 구매하기 전에 가격, 스타일, 품질 등을 비교하고 구매하는 선매품(選買品)이 있다. 선매품에 포함되는 대표적인 상품으로는 의류, 가구, 가전제품 등이 있으며, 선매품은 품질이 비슷하지만 가격 차이로 비교를 해야 하는 '동질적 선매품'과 가격보다는 상품의 특성이나 기능을 비교해야 하는 '이질적 선매품'으로 분류된다. 이질적 선매품의 경우에는 다양한 기능의 차이, 성능의 차이, 사양의 차이로 오프라인 매장에서는 판매원의 역량, 온라인 쇼핑몰에서는 상품의 세부 정보 등이 고객의 구매결정에 영향을 준다.

전문품 specialty goods

전문품 구매방법도 선매품처럼 구매하기 전에 정보를 탐색하고 비교한 후에 구매한다는 점은 유사하다고 할 수 있다. 그러나 제품 특성과 기능의 상당한 차이가 커서 선매품에 비해 많은 시간과 노력을 투자하여 구매 결정을 하게된다. 대표적인 예로는 자동차, 전문가용 자전거, 영상장비, 명품가방 등이 있다. 전문품은 선매품보다 판매원의 더 높은 제품지식이 필요하다.

비탐색품unsought goods

비탐색품은 소비자가 알지 못하거나 일반직으로 적극적인 구매활동을 하지 않는 상품으로 전집, 보험상품, 소화기, 수의, 묘비 등이 있다. 미탐색 품이라고도 하는 이러한 상품은 소비자에게 자신의 필요성을 알리고 인식시키기 위한 광고, 마케팅이 필요하다.

나) 산업재Industrial Product

산업재는 기업이 생산 및 제조를 위하여 구매하는 원자재와 원활한 제조 및 생산을 위하여 투입되는 설비, 보조장비, 부품과 소모품 등으로 구분된다. 본 상품은 오프라인으로 구매하는 방법과 MROMaintenance, Repair and Operation 인터넷 몰을 통하여 구매하는 방법이 있다.

유지보수Maintenance 자재는 정기적인 교체작업이나 유지 일정 계획에 따라 필요한 품목으로 일정 기간을 두고 구매하는 자재로 기계부품, 밸브, 윤활유 등이 이에 속한다.

수리Repair 자재는 기계나 장비가 예상치 않게 고장 났을 때 필요한 자재로 신속한 구매가 필요한 자재로 기계부품, 베어링, 스프링 등이 속한다.

운영Operation 자재는 기업 운영에 필요한 자재로 정기적으로 구매하기도 하고 비정기적으로 구매하기도 하는 품목으로 사무용품, 컴퓨터, 휴지통, 복사 용지 등이 포함된다.

2) 서비스

사무기기 서비스 센터장으로 근무하던 시절의 이야기이다. 모처럼 시간적 여유도 있어서 일전에 클레임을 제기하였던 인쇄업체 고객을 방문하기로 하였다. 클레임이 해결된 후의 방문은 고객과 좋은 관계 구축에 효과적이다.

"사장님, 오랜만입니다."

"웬일 이슈?"

"사장님 보고 싶어 왔죠!"

"잘 왔소, 프린트 서버 설정 방법에 관해 물어볼 것이 있었는데"

"저야 사장님보다 잘 모르지……"

"전문가인 영업사원이나 엔지니어한테 물어보시지, 그랬어요?"

"물어봤지!"

"그런데요?"

"젠장, 프린트 서버 설정 메뉴가 한글로 되어 있다고 투덜거리더라고, 용어들이 새롭다면서, 비웃는 것 같기도 하고......"

"그래서요?"

"영어 못해서 한글로 설정해달라고 한 내가 죄인이지 뭐......"

"설명은 들으셨어요?" "듣긴 들었는데 도통 모르겠더라고......"

"영어를 섞어서 말하는데, 무슨 말을 하는 건지......"

"쉽게 설명하라고 하지 그랬어요?"

"처음엔 그랬지!, 그런데도 계속 영어를 섞어 설명하더군"

"그래서요?"

"별수 있나?, 내가 이해 못 하는 것 같고, 창피하기도 하고"

"그래서 고개를 몇 번 끄덕였더니 가버리더군"

"센터장님, 영어 모르는 게 죕니까?"

"죄송합니다..."

서비스 만족도는 고객 개개인의 특성에 따라, 고객의 산업유형에 따라, 또는 동일한 고객인 경우에도 그날의 상황이나 기분에 따라 고객이 느끼는 만족도가 달라진다. 즉, 서비스는 일반 상품과 다르게 무형성, 비분리성, 변동성, 소멸성이라는 4가지 특성이 있다. 기업은 서비스 특성에 맞게 마케팅 전략을 수립하고 전개할 필요성이 있다.

무형성 intangibility

서비스는 유형 상품처럼 눈에 보이지 않으며 만질 수도 없다. 또한, 구매하기 전에는 맛보거나, 경험하거나, 느끼거나, 소리를 들을 수 없다는 특징이 있다. 예를 들면 공연이나 영화를 관람하기 전, 컨설팅을 받기 전, 성형수술을 받기 전에는 그 결과를 알 수 없다. 이러한 불확실성으로 인해 소비자는 서비스 제공업체의 인증, 브랜드 인지도, 서비스 가격 등을 통해 서비스 품질을 예측하는 경우가 많다. 이러한 문제를 해결하기 위해 서비스 제공업체는 무형의 제품을 보다 유형적으로 만들기 위해 다양한 기술을 적용하기도 한다. 예를 들어 증강현실 AR : Augmented Reality 기술을 활용해 고객은 '스마트 거울'을 통해 자신의 헤어스타일을 미리 확인하거나 가상으로 안경이나 액세서리를 입어볼 수 있는 '스마트 주얼리' 체험 서비스를 제공하기도 한다.

비분리성 inseparability

독립적으로 생산, 저장, 판매가 가능한 일반 제품과 달리 서비스는 동시에 생산되고 소비된다. 서비스 제공자의 복장, 말하는 스타일, 행동, 능력 역시 서비스의 일부로 인식되어 소비자 만족도에 영향을 미치게 된다. 따라서 기업은 높은 서비스 품질을 보장하기 위해 서비스 제공자를 선발하고 교육하는 데 투자해야 한다.

II. 문제는 마케팅 전략 부재

변동성 variability

서비스 품질은 누가, 언제, 어디서, 어떻게 제공하는지에 따라 달라질 수 있다. 엔지니어들 사이의 기술력과 고객 서비스 능력의 차이, 셰프에 따른 음식 맛의 차이가 이를 잘 보여준다. 서비스 제공과 고객 만족노는 서비스 직원의 행동과 서비스가 제공뇌는 환경에 의해 영향을 받는다. 또한, 동일한 서비스 제공자가 지속적으로 동일한 서비스를 제공하더라도 고객 개개인의 특성과 상황에 따라 고객 만족도는 여전히 달라질 수 있다.

따라서, 서비스 품질을 효과적으로 관리하기 위해서는 기업이 직원의 업무를 표준화하는 것을 넘어 서비스 직원이 다양한 상황에 효과적으로 대처할 수 있도록 체계적인 교육을 제공해야 한다.

소멸성 perishability

서비스는 서비스를 제공함과 동시에 소멸되는 특징이 있다. 즉, 향후 사용을 위해 보관할 수 없다. 예를 들어 오전 공연에 빈 자리를 오후 공연으로 수요를 옮길 수 없다. 서비스 수요가 안정적이거나 예측이 가능한 경우에는 효과적인 서비스 관리를 할 수 있다. 그러나 서비스 수요의 변동 폭이 크면 서비스관리비용이 증가할 수 있다.

빅데이터와 인공지능 기술을 활용한 디지털 마케팅

예를 들어, 자동차 수리를 요청하는 고객의 수가 많은 경우에 엔지니어를 추가 채용하기도 하지만, 고객의 수가 적다고 엔지니어가 한가한 시간에 미리 자동차 정비 서비스를 비축해 놓을 수 없어, 기업의 고정 비용이 커지게 된다. 따라서 기업은 이에 대한 대책으로 항공료나 콘도와 같이 가격 차별화 전략을 전개하기도 하고, 할인이나 예약 시스템을 활용하여 고객을 분산시키기도 한다.

3) 가격 Price

가격이란 제품이나 서비스의 가치를 화폐단위로 표시한 것을 의미한다. 기업은 소비자에게 제품이나 서비스를 제공하고 소비자는 제품이나 서비스에서 파생된 혜택의 대가로 회사에 지불하는 금액을 나타낸다.

상품가격은 원가를 중심으로 가격을 결정하거나, 경쟁사의 상품가격을 기준으로 가격을 결정하거나, 마케팅 전략이나 목표이익을 설정해 두고 손익분기점을 예상하여 가격을 결정하기도 한다. 그러나 일반적으로 가격은 원가, 경쟁사 가격, 소비자 인식 및 마케팅 전략 등의 여러 요소를 고려하여 결정한다.

가) 원가 중심 가격 결정

원가는 상품가격의 하한선을 결정하는 중요한 요소이다. 기업의 비용은 고정비fixed cost 와 변동비variable cost 로 구성된다. 고정비란 생산량이나 판매량에 상관없이 지출되는 비용으로 건물 임차료, 기계장비 대여료, 종업원의 급여 등이 포함된다. 변동비는 생산량이나 판매량에 따라 직접적으로 관련이 있는 요소로 제품을 만들 때 사용되는 원재료비, 포장재비 등이 포함된다.

 원가 중심 가격 결정은 총비용에 원하는 이익을 더해 가격을 결정하게 된다. 이러한 비용을 이해하고 계산함으로써 기업은 비용을 충당하고 수익성을 달성하는 데 필요한 최소 가격을 결정할 수 있다.

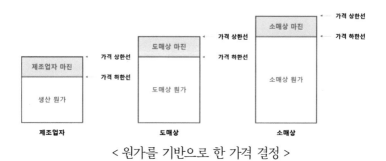

< 원가를 기반으로 한 가격 결정 >

나) 수요에 의한 가격 결정

 원가는 기업 측면의 요소라면, 수요는 고객 측면의 요소라고 할 수 있다. 기업이 결정한 가격에 따라 제품의 수요는 달라지며, 책정된 가격은 그 기업의 매출목표에 영향을 미친다. 가격을 책정하기 위해서는 가격변화에 따른 수요예측을 할 수 있어야 한다. 가격의 변화에 따라 수요의 변화가 높은 경우 가격탄력성이 높다고 볼 수 있지만, 명품이나 사치품은 높은 가격이 수요를 높이는 경우가 발생하기도 한다. 원가가 상품가격의 하한선을 결정하는 중요한 요소라면, 수요는 가격 상한선 결정에 중요한 요소이다.

다) 가격 결정 전략

강원도 원주에 근무할 때, 정 주임은 아내 이름으로 작은 옷 상점을 오픈했다. 그는 동대문에서 도매로 대량의 옷을 구매하여 저렴한 가격으로 판매하면 경쟁력이 있을 것이라 했다. 그러나 예상과는 다르게 판매량이 저조하여 손해가 커지고 있다며 정주임은 상점오픈을 크게 후회했다.

그로부터 몇 개월이 지난 후 술자리에서 정주임은 밝은 표정으로 옷 상점이 대박 나고 있다며 자랑했다.

"얼마 전에는 어렵다고 하더니, 어떻게 대박 났어요?"
"아주 간단하게 해결했습니다."
"어떻게?"
"옷 가격을 무려 30%나 올려버렸거든요"
"옷을 비싸게 팔았더니 더 많이 팔렸다고요?"

"네, 그렇다니까요"

가격은 일반적으로 이익에 직접적으로 영향을 미치는 것으로 알고 있다. 그러나 가격은 기업의 이미지와 상품의 이미지에도 직접적으로 영향을 미친다. 신상품이나 처음 구매하는 상품의 경우, 소비자는 상품에 대한 정보가 부족함에 따라 상품 자체보다 주변의 무엇인가를 시그널signal 로 삼게 된다. 시그널로 가장 많이 고려하는 것이 상품의 가격이며 이것을 가격의 '시그널링 효과Signaling effect' 라고 한다. 즉, 좋은 품질의 상품도 가격을 너무 낮게 설정하면 저품질 상품으로 이미지가 굳어지면서 판매 부진으로 이어질 수 있다. 즉, 품질이 좋은 제품도 가격을 너무 낮게 책정하면 '품질이 좋지 않을 것'이라는 이미지가 형성되어 판매 부진으로 이어질 수 있다는 것이다.

기업은 상품가격을 결정하기 전에 고가격 전략을 전개할 것인지, 저가격 전략을 전개할 것인지 또는 중간 수준의 가격전략을 전개할 것인지 결정해야 한다. 또한, 처음에 결정한 가격을 일정 기간이 지나면서 높게 또는 낮게 변경하는 가격전략도 있다.

스키밍 가격skimming pricing 전략
스키밍이란 우유를 잔에 따른 후, 위에 떠 있는 맛있고 고소한

지방 부분을 먹는 행위를 의미하며, 스키밍 가격전략은 마치 우유 위에 떠 있는 가장 맛있는 부분을 먹듯이, 신제품 출시 시에 높은 가격을 책정하여 초기 구매자들로부터 고수익을 얻는 가격전략을 말한다. 일반적으로 스마트폰과 같이 하이테크 제품이나 서비스를 판매하는 비즈니스 상품에 많이 적용하는 가격전략이다.

스키밍 가격전략을 전개하면 초기에 높은 이익을 얻어 투자비를 초기에 회수할 수 있다는 장점이 있다. 시간이 경과 되면서 저가의 유사 상품이나 대체품이 출시되면 가격을 내려서 출시 초기에 높은 가격으로 구매 결정을 하지 못한 소비자들이 구매하면서 상품 출시 초기부터 일정 기간이 경과하기까지 어느 정도의 매출을 기대할 수 있게 된다. 그러나 상품의 기술력이나 차별성이 뛰어나야 가능한 전략이다.

침투가격 penetration pricing 전략

스키밍 가격전략과 달리 침투가격전략은 초기 가격을 낮게 설정하여 신속하게 많은 고객을 유치한 후 시간이 지남에 따라 점차 가격을 높이는 전략이다. 이 전략은 온라인 플랫폼 서비스를 제공하는 회사에서 일반적으로 사용한다. 이들 기업은 초기에 저렴한 가격을 제공함으로써 시장에 빠르게 침투하고 강력한 고객 기반을 구축하며 브랜드 충성도를 구축하는 것을 목표로 한다. 제품이나 서비스가 인기를 얻고 탄탄한 고객 기반을 확보하면 가격을 점진적으로 인상한다. 이러한 접근 방식은 빠르게 시장점유를 하는 데 도움 되며, 초기의 낮은 이윤으로 경쟁업체가 시장에 진입하는 것을 방지할 수도 있다.

라. 유통채널 Place

마케팅 4P 중 'Place'에 해당하는 유통전략은 생산된 제품을 소비자에게 전달하기 위한 유통채널을 결정한다. 기업에서는 온라인, 오프라인 또는 이 둘을 결합하여 운영되는 옴니채널 유통전략을 점점 더 많이 구현하고 있다. 제조업체가 제품을 고객에게 직접 배송하는 경우도 있지만, 일반적으로 유통은 중개자를 통해 이루어진다. 유통채널의 형태는 제품의 특성과 종류에 따라 달라진다.

1) 유통채널의 유형

일반적인 유통채널에는 도매상과 소매상이 포함되거나, 도매상 없이 제조사에서 소매상을 거쳐 소비자에게 전달되기도 한다. 또한, 제조업자는 직접 소비자에게 전달하는 직접판매 방법을 선택하기도 한다.

빅데이터와 인공지능 기술을 활용한 디지털 마케팅

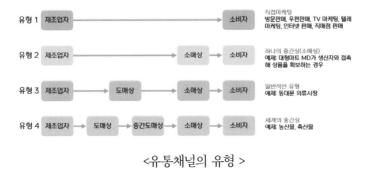

<유통채널의 유형 >

2) 유통채널의 변화

유통채널은 인터넷과 모바일 등 정보기술의 발전으로 지리적, 공
간적 제약을 극복하며 시장의 범위를 크게 확대해 왔다. 기술의 발
전으로 인해 기업은 멀티채널, 크로스 채널, 옴니채널과 같은 새로
운 채널을 활용한 유통전략을 전개할 수 있게 되었다.

싱글 채널 single channel

싱글 채널이란 소비자가 하나의 특정 채널을 통해 제품을 구매
할 수 있는 유통 형태를 의미한다. 이 채널은 매장 판매, 방문판매
또는 온라인 판매일 수 있다. 싱글 채널 판매자는 제한된 범위 내
에서 소비자 편의성을 높이기 위해 다양한 판매 전략을 개발하고
적용하게 된다.

II. 문제는 마케팅 전략 부재

<오프라인 매장과 온라인 매장의 판매전략>

오프라인 매장	온라인 매장
진열대	웹페이지
판매직원	고객리뷰
파사드(facade)	상품추천
쇼윈도(show window)	사진, 이미지
매장 머천다이저(Merchandiser)	상세페이지
동선	추천인 링크
카타로그	이벤트
제품홍보 배너	쿠폰
쿠폰	상품홍보 이메일 또는 SMS
체험 서비스	상담센터

멀티채널 Multi Channel

소비자가 한 개 이상의 채널을 통해 상품을 구매할 수 있는 유통 형태를 의미하며, 멀티채널은 싱글 채널로는 접근할 수 없었던 새로운 소비자를 획득할 수도 있고, 다양한 선택과 편의를 제공해 주면서 추가구매를 유도하거나 소비자의 이탈을 방지할 수 있다. 그러나 각 채널은 독립적으로 운영되기 때문에 소비자는 각 채널의 비교를 통해 최적의 유통채널을 선택할 수 있으며, 이는 경쟁적 성격으로 인해 채널 간의 분쟁으로 이어질 수 있다.

옴니채널 Omni Channel

옴니채널 전략은 멀티채널의 한계를 보완하기 위하여 등장하였으며, 다양한 채널을 통한 판매의 기회를 높이는 동시에 채널 간의

빅데이터와 인공지능 기술을 활용한 디지털 마케팅

연계 및 고객과의 커뮤니케이션 확장을 가능하게 하였다. 온라인과 오프라인 채널별로 서로 다른 마케팅 전략을 전개하여 경쟁 관계를 형성하는 멀티 채널 전략과 달리 옴니채널 전략은 통합적인 마케팅 접근 방식을 구축한다. 상품기획, 판매, 재고관리, 결제단계까지의 모든 과정을 포함하여 채널간 상호보완적인 관계를 형성한다.

마. 프로모션Promotion

프로모션이란 현재 또는 잠재 고객에게 제품의 존재를 알리고 구매를 유도하며 구매를 유도하기 위한 다양한 인센티브를 제공하기 위한 활동을 의미한다. 여기에는 광고, PR, 판촉, 인적 판매 등 다양한 방법이 포함된다. 마케팅 목표 달성을 위해 가장 적합한 방법을 선택하려면 각 방법의 고유한 특성을 이해하는 것이 중요하다.

일반적으로 소비재의 경우 기업은 판촉 활동에 가장 많은 예산을 할당하고 다음으로 광고, 인적 판매, 홍보 순이다. 할인, 쿠폰, 특별 제안 등의 판촉활동을 통해 소비자의 관심을 빠르게 유도하고 매출 증대로 이어질 수 있기 때문에 우선적으로 고려하게 된다. 반면, 산업재의 경우에는 일반적으로 인적 판매에 가장 많은 예산을 투입한다. 인적 판매의 경우는 산업재처럼 활동 대상 고객의 수가 적으면서, 복잡하고 가격이 비싼 상품에 적합하다. 인적판매는

67

자세한 제품 설명을 제공하고, 맞춤형 시연을 수행하고, 협상에 직접 참여할 수 있어 고객의 구체적인 요구사항과 우려 사항을 해결하는 데 효과적이다.

소비자는 의사결정과정을 거쳐 제품을 구매한다. 특히 관여도가 높은 상품의 경우 상품구매 의사결정 단계는 문제 인식, 정보탐색, 대안 평가, 구매, 구매 후 행동 단계로 진행된다. 구매에 이르기까지의 단계를 잠재구매자의 행동에 초점을 맞추어 구분한 것이 구매의사결정 단계라면, 구매에 이르기까지의 단계를 잠재구매자의 심리에 초점을 맞추어 구분한 것을 반응단계Response Hierarchy라고 한다. 반응단계에는 여러 가지 모델이 있지만, 가장 널리 알려진 모델은 인지Awareness, 지식Knowledge, 호감Liking, 선호Preference, 확인Conviction, 구매Purchase 단계로 구성된 효과계층모델Hierarchy of effects Model이다.

효과계층모델 6단계에서 첫 번째의 인지단계에서 소비자는 제품의 존재를 알게 된다. 광고와 홍보는 인지도를 높이는 효과적인 방법이다. 다양한 미디어 플랫폼을 통한 가시성이 높은 광고 캠페인과 더불어 보도자료, 언론 보도 등의 홍보활동을 통해 타겟고객에게 우리 기업의 제품을 인식하게 만드는 것이 중요하다.

지식단계에서 소비자는 제품을 알게 된 후 해당 제품에 대해 더 많은 정보를 찾는다. 유익한 광고, 콘텐츠 마케팅, PR을 통해 제품의 기능, 장점, 사용법에 대한 자세한 정보를 제공하여 소비자가 우리 기업의 제품에 대해 더 깊이 이해할 수 있도록 해야 한다.

호감단계에서 소비자는 제품에 대해 긍정적인 태도를 갖게 된다. 무료 샘플, 할인, 특별 제안 등의 판매 프로모션을 통해 제품 매력을 높여 소비자가 우리 기업의 제품에 대해 긍정적인 인식을 하도록 해야 한다.

선호단계에서 소비자는 해당 제품을 대체 제품과 비교하고 해당 제품에 대한 선호도를 형성한다. 비교 광고, 개인화된 마케팅, 타겟 프로모션을 통해 경쟁사에 비해 제품의 장점을 강조할 수 있다. 사용후기, 사례 연구, 인플루언서의 추천 등을 통해 소비자 선호도를 더욱 확고히 할 수 있어야 한다.

확신단계는 소비자가 구매를 하기 전에 자신의 선택을 확인하는 단계이다. 품질보증, 제품 시연, 사용자 리뷰 등이 이 단계에서 중요한 역할을 하게 된다.

마지막 구매단계에서 소비자는 실제 구매 결정을 내리게 된다. 기간 한정 혜택, 간편한 구매 옵션, 우수한 고객 서비스를 통해 구매 프로세스를 촉진할 수 있다. 로열티 프로그램, 애프터서비스 지원과 같은 후속 프로모션을 통해 반복 구매와 고객 충성도를 높일 수 있다.

기업은 의사결정 과정의 각 단계에 프로모션 전략을 연계함으로써 소비자의 초기 인식부터 최종 구매까지 효과적인 마케팅 전략을 전개할 수 있으며, 구매단계별 효과적인 프로모션 방법은 다음과 같다.

< 구매단계별 효과적인 프로모션 방법 >

		구매단계					
		인지	지식	호감	선호	확신	구매
프로모션	광고	○	○	○	○		
	PR	○	○	○	○		
	판매촉진						○
	인적판매					○	○

마케팅 전략전개를 위한 촉진수단으로 활용할 수 있는 광고, PR, 판매촉진, 인적판매에 대하여 살펴보기로 하자.

1) 광고

방송통신위원회에서는 광고를 "명시된 광고주가 특정 상품이나 아이디어, 서비스를 비대인적 대중매체를 통해 유료로 소비자들에게 알리는 마케팅 커뮤니케이션의 한 형태"로 정의하였으며, 표시광고법에서는 "사업자 등이 상품에 관한 사항을 신문, 방송, 전기통신 등을 활용하여 소비자에게 널리 알리거나 제시하는 것"이라 정의하였다.

ATL, BTL 그리고 TTL

ATL $^{Above\ The\ Line}$ BTL $^{Below\ The\ Line}$ 은 광고계에서 많이 사용되고 있는 용어이다. ATL과 BTL은 재무관리의 편의를 위해 만들어졌다. 광고대행사는 모든 광고 미디어를 예약하고 광고주에게 미디어사를 대신하여 청구서를 보내는 것이 관례였다. 이러한 업무수행에 대한 보수로 미디어사로부터 커미션을 받았으며 이와 같은 유형의 광고를 라인 상단에 기재하고, 라인 하단에는 POS 자료, 전단지 등을 기재하였다. 즉 커미션을 받는 TV 광고, 라디오 광고, 신문광고, 잡지 광고, 극장 광고, 지하철 광고 등은 상단에 기재하고 커미션을 받지 않는 쿠폰, POS, 전단지 광고는 하단에 기재한 것이 ATL과 BTL 용어의 유래이다.

최근에는 변화하는 소비자 행동에 적응하고, 기존 마케팅 방법의 한계를 극복하고, 디지털 채널의 힘을 활용하고, 응집력 있는 브랜드 경험을 제공해야 하는 필요성에서 TTL $^{Through\ The\ Line}$ 마케팅이 탄생했다.

2) PR Public Relations

"PR"과 "홍보"라는 용어는 종종 같은 의미로 사용되지만, PR은 조직과 대중 간의 원활한 커뮤니케이션 관리기능으로 홍보보다 범위가 넓다. 홍보는 일반적으로 우리 회사의 활동이나 상품에 대한 정보를 기사나 뉴스 형태로 내보내는 것을 말하지만, PR은 홍보활동뿐만 아니라 고객, 언론, 정보, 국회, 시민단체 등 기업과 직간접으로 관련 있는 여러 조직과 단체와 긍정적 관계를 구축하고 유지하는 활동을 포함한다. PR은 홍보와 다음과 같은 차이점이 있다.

첫째, 소비자들은 광고보다는 언론의 기사나 뉴스를 더 신뢰한다. TV 뉴스에서 건강 관련 상품이 등장하면 판매 매출이 급증하는 사례를 예로 들을 수 있다.

둘째, 광고를 진행하기 위하여 매체 비용이 들지만 PR은 직접적인 비용지불이 없다. 물론 매체 비용 이외에 간접비용이 소요되는 부분이 있지만, 매체 비용이 들지 않는 것은 차이점의 하나라고 볼 수 있다.

셋째, 광고는 매체 비용을 지불하고 전개함에 따라 기업에서 통제할 수 있지만, PR은 기업에서 통제하기 어렵다. 즉, 기사의 내용, 위치, 일정 등을 통제하기 어렵고, 상황에 따라서 기사 게재 여부

조차 기업에서 통제할 수 없다.

넷째, PR의 매체는 다음과 같이 출판물, 뉴스, 이벤트 등이 있다.

< PR 매체와 활동 내용 >

PR 매체	활동 내용
출판물	사보, 브로슈어, 연례보고서, 신문, 잡지 아티클 등이 있다.
뉴스	기업뉴스, 임직원 뉴스, 상품 뉴스 등의 긍정적 뉴스를 발굴하여 언론 매체에 실리도록 활동한다.
행사	기자회견, 전시회, 세미나, 기념식, 스포츠 마케팅 등
연설	최고경영자 또는 임원들의 행사 연설 등
사회활동	지역사회 기부금 및 각종 봉사활동에 참여
기업 아이덴티티	기업에 대한 통일된 이미지를 주기 위하여 로고, 명함, 문구, 유니폼, 간판 등을 디자인

3) 판매촉진

어떤 제품이나 서비스 상품을 구입해야 하는 욕구를 만들어주는 것이 광고의 역할이라면, 어떤 제품이나 서비스 상품을 구입하도록 인센티브를 제공해 주는 것이 판매촉진의 역할이다. 판매촉진에는 할인쿠폰 제공, 무료샘플 제공, 사은품 제공, 세일 등 다양한 방법이 있다.

가) 판매촉진의 유형

판매촉진의 유형은 판매촉진 대상자와 판매촉진 주최자에 따라 분류할 수 있다.

소비자 판매촉진consumer promotion

기업에서 판매촉진을 목적으로 소비자에게 여러 가지 인센티브를 제공하는 것을 말한다.

중간상 판매촉진trade promotion

기업에서 판매촉진을 목적으로 도매업자나 소매업자에게 여러 가지 인센티브를 제공하는 것을 말한다.

도매업자 판매촉진wholesaler promotion

도매업자가 판매촉진을 목적으로 소비자에게 여러 가지 인센티브를 제공하는 것을 말한다.

소매업자 판매촉진retailer promotion

소매업자가 판매촉진을 목적으로 소비자에게 여러 가지 인센티브를 제공하는 것을 말한다.

판매촉진의 수단

판매촉진의 수단은 다양하게 있으며, 새로운 수단이 계속해서 등장하고 있다. 여러 가지 판매 수단 중에서 대표적인 수단 몇 가지에 대하여 알아보고자 한다.

빅데이터와 인공지능 기술을 활용한 디지털 마케팅

할인쿠폰 discount coupons

할인쿠폰은 일정 기간 표시된 만큼 표시된 상품을 구매할 때 할인 혜택을 주는 증서를 말한다. 쿠폰 배포 방법은 상품에 부착하거나, 전단지 광고에 인쇄하여 배포하거나, 웹사이트나 스마트폰을 통하여 배포하기도 한다.

리베이트 rebates

리베이트는 일정 기간 동안 제품이나 서비스 상품을 구매한 고객을 대상으로 구입 가격의 일부를 현금으로 돌려주는 것을 말한다. 리베이트 프로모션을 통하여 신규구매자를 유도하거나 반복 구매, 대량 구매 등을 기대할 수 있다.

보너스 팩 bonus packs

동일 상품이나 관련 상품을 묶어서 저가로 판매하는 방법이다. 예를 들어 치약과 칫솔을 묶어서 판매하거나 1+1로 판매하는 것을 예로 들 수 있다.

보상판매 trade ins

기존에 사용하던 자사 상품 또는 경쟁사 상품을 반납하고 우리 상품을 새로 구입할 경우 일정 기간 동안 일정 금액만큼 할인해주는 방법이다. 반납상품의 범위에 따라 폐쇄형(자사 상품으로 한정)

과 개방형(경쟁사 상품까지 포함)으로 분류된다.

세일 sale

특정 기간 상품이나 서비스의 가격을 일정 비율만큼 할인하는 방법을 말한다. 할인행사를 통하여 매출을 증대할 수 있고, 재고 유지비용을 줄일 수 있다는 장점이 있다. 반면, 주기적인 할인 이벤트로 구매를 세일기간까지 연기하는 소비자가 발생되어 정상가로 구매할 소비자를 세일 구매로 전환시키기도 한다.

샘플 sample

샘플이란 소량의 제품을 무료로 제공하는 것을 말하며, 화장품 회사가 판매 촉진을 위해 자주 사용하는 방식이다. 잠재 소비자에게 무료로 사용해 볼 수 있는 기회를 제공함으로써, 자신의 피부 특성에 적합한지 고민하는 소비자들을 유인할 수 있다는 장점이 있다. 이 전략에는 가전제품, 사무기기 등을 일정 기간 사용해본 뒤 구매를 결정하는 방식도 포함된다.

사은품 gift

특정 상품을 구매한 고객에게 일정 기간 동안 다른 상품을 무료로 제공하는 것을 말한다. 홈쇼핑을 통해 제품을 구매할 때 사은품을 주는 경우를 예로 들 수 있다.

빅데이터와 인공지능 기술을 활용한 디지털 마케팅

4) 인적판매

인적판매는 점포 내에서 판매하는 내부판매inside selling 와 기업이
나 가정을 방문하여 판매하는 외부판매outside selling 로 분류된다.
인적판매를 하는 영업사원 또는 판매사원은 소비자들에게는 기업
을 대표하는 역할을 하고, 기업 내에서는 고객을 대표하는 역할을
하게 된다.

판매방식의 분류

판매방식은 단기적 매출 증대에 목표를 두는 강압적 판매방식
인 거래 지향적 판매transaction selling , 잠재적 소비자의 문제점을
이해하고 문제해결에 초점을 두는 컨설팅식 판매Consultative selling ,
그리고 소비자와의 관계 구축에 초점을 두는 관계 지향적 판매
relationship selling 로 분류된다.

< 거래 지향적 판매와 관계 지향적 판매의 비교>

거래 지향적 판매	관계 지향적 판매
고객의 욕구를 이해하는 것, 보다는 판매에 초점을 맞춤	판매보다는 고객의 욕구 이해에 초점을 맞춤
듣기보다는 말하는 데 치중함	말하기보다는 듣는 것에 치중함
설득, 화술, 가격조건 등을 앞세워서 신규고객을 확보하고 매출 증대에 주력	상호 신뢰와 신속한 반응을 통하여 고객과 장기적인 관계 형성에 주력

<출처: Philip Kotler(2003), Marketing Management, Prentice-hall>

컨설팅 세일즈 스텝

II. 문제는 마케팅 전략 부재

소비자의 문제점을 파악하고, 문제해결에 초점을 두는 컨설팅 세일즈의 단계는 세일즈 계획단계, 예상 구매자 찾기, 예상 구매자 최초 접촉, 정보수집 및 문제점 파악, 문제 해결안 제안, 상담 및 계약, 사후관리 단계로 진행된다.

< 컨설팅 세일즈의 전개 프로세스 >

세일즈 계획	• 시장을 분류한다. • 타겟시장을 선정한다.
예상구매자 찾기	• 캔버싱, 텔레마케팅, DM발송, 신문 또는 출판물의 정보 확인, 세미나, 업계 단체나 협회 등을 통하여 예상구매자를 찾는다.
예상구매자 최초접촉	• 사전정보를 파악하고 준비한다. • 소비자의 예상질문을 리스트업하고 사전준비한다.
정보수집 및 문제점 파악	• 정보수집 및 니즈개발 • 개인의 니즈와 조직의 니즈를 파악한다.
문제해결안 제안	• 현상형 문제해결 현재 발생된 문제를 해결하는 것으로 바람직한 상태와 현재의 상태 간의 차이발생의 원인을 파악하고 해결안을 제시하는 방법으로 진행하는 단계는 다음과 같다. 1) 문제의 제기 2) 현상파악 및 원인분석 3) 대책수립 및 제안 4) 대책실시 5) 정착화(표준화) • 발견형 문제, 발견형 문제해결의 경우는 발생가능 문제점에 대하여 능동적으로 대처하는 것이 문제해결의 포인트이며, 과제해결이라고 말하기도 한다. 현상형 문제해결단계와 유사하지만, 두 번째 단계인 현상파악 및 원인분석 단계가 문제선정(과제선정) 단계로 대체되며, 발생가능 과제에 대하여 파악하는 단계이다.
상담 및 계약	• 문제해결을 위한 제품 또는 서비스 상품에 대하여 상담하고 계약을 체결한다. 즉, 문제해결의 대책실시 단계에 해당한다.
사후관리	• 구매한 제품이나 서비스 상품을 원활하게 사용할 수 있도록 관리한다. • 지속적인 거래가 이루어 지도록 관계를 형성한다.

빅데이터와 인공지능 기술을 활용한 디지털 마케팅

2. 존 스노의 감염지도

19세기 런던의 상, 하수도는 생활하수가 정화되지 않은 채 상수도로 유입되는 경우가 빈번했다. 당시 런던에서는 콜레라가 주기적으로 발생하고 있었다. 1854년 브로드 스트리트 Broad Street 를 중심으로 콜레라가 다시 유행되자 존 스노 John Snow 의사는 콜레라의 전염 양상을 관찰하고 발병자와 사망자가 발생한 역학조사를 실시했다.

역학조사 결과 특정 펌프를 중심으로 콜레라가 발생되고 있다는 특성을 발견하였다. 하지만 당시 과학기술의 발전 수준이 낮았기 때문인데, 퍼올린 펌프 물을 현미경으로 들여다보아도, 특별한 점을 발견할 수 없었다. 또한 당시에는 전염병의 원인이 나쁜 공기나 악취 때문이라 설명하는 '장기설瘴氣說, miasma theory 사상'이 널리 퍼져 있었다. 따라서, 존 스노는 콜레라가 수인성 전염병이라는 사실을 입증시키기 위해 엄청난 노력과 조사를 해야 했다. 사망자가 발생한 집을 하나하나 조사해 브로드 스트리트 펌프의 물을 마셨는지 조사하였다. 존 스노는 콜레라 발병 이후 7일, 지역 이사회를 설득해 펌프폐쇄의 성과를 만들었다.

(출처: 나무위키)

< 존 스노가 직접 그린 브로드 스트리트의 감염지도 >

지도의 검은색 막대는 사망자 수를 나타내며, 브로드 스트리트 Broad Street 중앙에 펌프가 표시되어 있다. 빅토리아 시대의 존 스

노우John Snow 의사가 조사를 통하여 밝혀낸 것이 데이터 분석의 좋은 사례라는 생각이며, 최근 기업에서는 마케팅 전략에 다양한 빅데이터 분석정보를 적극적으로 활용하고 있다.

가. 빅데이터의 개념

빅데이터는 디지털 환경에서 생성되는 모든 데이터를 의미하며, 규모가 방대하고 생산주기가 짧고, 다양하다. 위키피디아Wikipedia에 서는 빅데이터를 기존 데이터베이스의 관리용량(수십 테라바이트) 을 초과하는 대량의 정형 또는 비정형 데이터 세트를 포함해 데이 터에서 가치를 추출하고 결과를 분석하는 기술로 정의했다. 즉, 기 존의 데이터 처리 응용 소프트웨어data-processing application software로 는 수집 · 저장 · 분석 · 처리하기 어려울 정도로 엄청난 양의 데 이터를 의미하기도 하지만 포괄적 개념으로는 빅데이터를 처리, 분 석하는 기술도 포함한다.

나. 빅데이터 시장의 확대요인

데이터가 크다고 해서 바로 가치를 창출할 수 있는 것은 아니다. 빅데이터를 저장할 수 있어야 하고, 저장된 빅데이터에서 빠른 연 산을 통해 가치를 창출할 수 있어야 한다. 최근에는 데이터의 저장 비용과 연산 비용의 감소로 빅데이터의 활용이 확대되고 있다. 빅 데이터의 활용이 확대되고 이슈화되고 있는 이유는 다음과 같다.

첫째, 스마트폰을 비롯한 다양한 모바일 기기의 확산으로 인해 빅데이터 정보량이 급격히 증가하고 있다. 미국 여론 조사 기관인 퓨리서치Pew Research의 2019년 조사 보고서에 따르면 한국의 스마트폰 보유율은 95%로 조사 대상 27개국 중 가장 높았다. 나머지 5%는 인터넷 접속이 불가능한 휴대전화를 보유하고 있어 전체 인구가 휴대전화를 사용하고 있음을 알 수 있다. 또한, 모바일 스마트 기기에 탑재된 센서, 원격탐사 기술, 소프트웨어, 카메라, RFID 리더 등을 활용해 데이터를 수집하는 능력도 데이터 증가의 주요 요인이다.

둘째, 개인과 조직의 데이터가 클라우드 서비스를 통하여 한 곳으로 통합되고 축적되면서 저장된 데이터를 활용하고자 하는 요구가 증가되었다.

셋째, 소셜미디어 이용의 증가로 인터넷 사용자의 경험정보를 비즈니스 목적으로 활용하려는 관심이 높아졌다.

마지막으로 엄청난 크기의 데이터를 저장하고 분석할 수 있는 IT 기술의 발전으로 빅데이터의 활용이 가능해졌다.

다. 빅데이터의 특징

일반적으로 빅데이터의 특징은 3V, 4V, 5V로 표현된다. 빅데이터의 3V는 규모Volume, 다양성Variety, 속도Velocity를 말하며, 4V는 3V에 정확성Veracity 또는 가치Value를 추가한다. 5V는 3V에 정확성과 가치를 모두 추가한다. 각각의 주요 내용은 다음과 같다.

[빅데이터의 특징 5V]

항목	내용
규모(Volume)	• 기술의 발전과 모바일 기기, 센서의 활용증대로 디지털 정보량이 기하급수적으로 증가해 제타 바이트(ZB) 시대로 진입.
다양성(Variety)	• 로그, 소셜, 위치정보, 검색정보 등 데이터 종류의 증가 • 텍스트 이외의 음성, 영상 등 비정형 데이터 유형의 다양화
속도(Velocity)	• IoT, 스트리밍 정보 등 실시간 정보의 증가 • 데이터의 전송, 이동 속도의 증가 • 대규모 데이터 처리 및 데이터 분석 속도의 증가
정확성(Veracity)	• 방대한 데이터의 분석으로 데이터의 신뢰도 증가
가치(Value)	• 빅데이터 분석을 통해 기업의 문제해결에 통찰력 있는 유용한 정보를 제공

규모 Volume

빅데이터의 큰 특징 중의 하나는 데이터의 양 Volume이다. 데이터의 크기는 산업별, 규모별로 차이가 있으며, 빅데이터를 정의할 수 있는 데이터의 양이 정확하게 정해져 있지는 않다. 일반적으로 빅데이터라고 하면 PB petabyte 또는 ZB zettabyte 이상의 데이터를 말하며, 1PB는 1,024TB terabytes를 말한다.

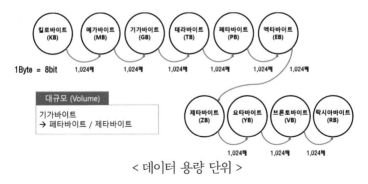

< 데이터 용량 단위 >

다양성 Variety

과거에는 기업에서 활용하는 데이터는 구조화된 정형 데이터 중심이었다. 그러나 빅데이터 시대에는 구조화된 정형 데이터뿐만 아니라 다양한 형태의 비정형 데이터, 반정형 데이터를 활용하고 있다. 스키마에 의해 정의하여 테이블 형태로 저장된 데이터를 정형데이터라고 하며, 고객 이름, 성별, 연락처, 주소 등의 고객정보 또는 매출관리 등에 활용된다. 이미지, 동영상, 음성녹음 등의 구조화되지 않은 데이터를 비정형 데이터라고 하며, HTML, XML, JSON, 웹로그, 센서 데이터 등을 반정형 데이터라고 한다.

속도 Velocity

속도는 정보가 생성되고 처리되는 속도를 말한다. 예를 들어, 온라인 쇼핑몰에서는 고객이 최종적으로 구매하는 제품뿐만 아니라 최종 구매에 이르기까지 웹사이트와의 모든 상호 작용에 대한 데이터가 수집된다. 여기에는 클릭, 페이지 조회 및 기타 상호 작용 추적이 포함되며, 이 데이터를 빠른속도로 실시간 분석을 함으로써 고객이 관심을 가질 가능성이 높은 상품을 추천하여 추가 구매가 가능해진다.

정확성 Veracity

데이터의 정확성은 분석을 위해 활용한 데이터의 신뢰와 관련이

빅데이터와 인공지능 기술을 활용한 디지털 마케팅

있다. 시스템은 쓰레기 같은 데이터를 입력하면 쓰레기 같은 결과를 내놓는다^{Garbage In, Garbage Out}. 정확성을 높이기 위하여 시스템은 데이터를 정제, 검증하여 최종적으로 활용 가능한 정보를 내놓는다.

가치Value

가치는 데이터가 가져오는 실제적인 가치를 의미하며, 방대한 양의 데이터가 수집되고 분석되더라도 그 데이터가 실질적인 비즈니스 가치를 제공하지 않는다면 의미가 없다. 예를 들어, 고객의 구매 패턴을 분석하여 개인화된 마케팅 전략을 세우고, 이를 통해 고객의 만족도를 높이며 매출을 증대시키는 것이 바로 데이터의 가치다. 데이터의 가치는 이를 통해 얼마나 효율적으로 의사결정을 내리고, 비용을 절감하며, 새로운 기회를 창출할 수 있는가에 달려 있다.

라. 빅데이터의 분석과정

소비자의 인터넷 활동의 분석정보는 기업이 소비자를 이해하고 맞춤형 홍보, 맞춤형 마케팅 활동을 가능하게 해준다. 빅데이터를 활용하기 위하여 몇 가지 고려하여야 할 항목을 알아보자.

첫째, 데이터를 분석하여 활용하고자 하는 목적은 무엇인가? 소비자의 인터넷 검색정보는 포털사이트에서 확인할 수 있으며, 공공데이터 사이트에서 다양한 정보를 확인할 수도 있다. 그러나 데이터의 활용목적이 명확할 때 데이터를 어디서 어떻게 가져올 것인가를 확정할 수 있다.

둘째, 데이터를 어디서 어떻게 가져올 것인가? 데이터의 활용목적이 명확하다면, 어떤 데이터를 어디서 어떻게 가져올 것인가를 확정하여야 한다. 데이터를 가져오는 방법은 수동으로 데이터를 가져올 수도 있으나, 검색엔진을 통한 크롤링Crawling 방법이 있고, Open API를 활용하여 실시간으로 수집할 수도 있다. 또한 IoT의 센서를 활용하여 수집하기도 한다.

셋째, 데이터 분석 방법을 결정하여야 한다. 수집된 소스 데이터에서 원하는 정보의 추출, 전송, 변환, 저장하고, 저장된 데이터를 분석하게 된다. 빅데이터 분석에 사용되는 기술은 대부분 통계학과 컴퓨터 분야의 머신러닝 및 데이터 마이닝 기법들이다.

빅데이터를 활용한 소비자 행동 예측은 대부분 과거의 경험데이터 분석을 통하여 소비자의 관심 정보를 파악한다. 대표적인 빅데이터 분석모델인 KDD^{Knowledge Discovery in Databases}의 데이터 분석 절차를 도식화하면 다음과 같다.

빅데이터와 인공지능 기술을 활용한 디지털 마케팅

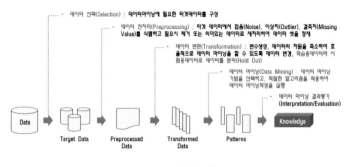

데이터 선택(Selection) : 데이터마이닝에 필요한 타겟데이터를 구성

데이터 전처리(Preprocessing) : 타겟 데이터에서 잡음(Noise), 이상치(Outlier), 결측치(Missing Value)를 식별하고 필요시 제거 또는 의미있는 데이터로 새처리하여 데이터 셋을 정제

데이터 변환(Transformation) : 변수생성, 데이터의 차원을 축소하여 효율적으로 데이터 마이닝을 할 수 있도록 데이터 변경, 학습용데이터와 시험용데이터로 데이터를 분리(Hold Out)

데이터 마이닝(Data Mining) : 데이터 마이닝 기법을 선택하고, 적절한 알고리즘을 적용하여 데이터 마이닝작업을 실행

데이터 마이닝 결과평가 (Interpretation/Evaluation)

< KDD 분석모델 >

마. 데이터를 활용한 마케팅 사례

데이터 분석은 누가 상품을 구매하였는지를 분석하는 것도 중요하지만 '어떤 상품을 누구에게 판매할 것인지'를 예측하는 것도 중요하다. 빅데이터 분석 결과를 마케팅 전략에 활용한 사례를 알아보자.

1) 장바구니 분석

장바구니 분석은 많이 알려진 사례로 이는 고객들이 구매한 제품들을 분석하여 어떤 제품들이 함께 구매되는지를 파악하는 것을 의미한다. 이를 통해 기업은 고객의 구매 패턴과 선호도를 이해하고, 마케팅 전략을 수립하거나 상품 배치를 최적화할 수 있게 된다.

장바구니 분석은 다양한 방법으로 수행될 수 있으며, 일반적인 방법은 연관 규칙 분석이라는 통계적 기법을 사용한다. 이를 통해 제품 간의 연관성을 파악하고, 어떤 제품들이 함께 구매되는지를 확인할 수 있다. 예를 들어 만일 고객이 샴푸를 구매했다면, 컨디셔너, 클렌저 등을 추천하는 것이 가능하다.

미국 월마트의 맥주와 기저귀 사례가 대표적인 장바구니 분석 사례이다. 월마트는 고객들이 구매한 제품들을 분석하여 어떤 제품들이 함께 구매되는지를 파악하고, 이를 바탕으로 상품 배치와 마케팅 전략을 개선하고자 했다. 이를 위해 월마트는 빅데이터 분석 기술을 활용하여 장바구니 분석을 수행했으며, 분석 결과, 월마트는 맥주와 기저귀가 함께 구매되는 경향이 있다는 것을 파악했다.

< 장바구니 분석 >

이를 바탕으로 월마트는 맥주와 기저귀를 가까운 곳에 놓았더니 놀랍게도 두 제품의 매출이 전날보다 5배나 뛰었다고 한다. 이유인

빅데이터와 인공지능 기술을 활용한 디지털 마케팅

즉 퇴근길, 아내의 심부름으로 마트에서 기저귀를 사며 보상심리로 맥주도 함께 구매했기 때문이라고 한다. 혹은 맥주를 사러가는 길에 아내의 잔소리를 피하기 위해 기저귀를 사온다고 역제안하는 이유에서라고 한다.

이 사례는 장바구니 분석이 기업의 마케팅 전략과 상품 배치에 어떠한 영향을 미칠 수 있는지를 보여주는 대표적인 사례라고 할 수 있다.

장바구니 분석사례를 바탕으로 가상데이터를 활용하여 분석해보고자 한다. 작성한 가상데이터를 CSV 파일형태로 챗 GPT에 올렸다.

My Files

Files are available for an hour after your last use, after which all data will be permanently removed from our servers.

You can reset your session (clear all files and memory) by **clicking here**.

Add File

source_data_0.1.csv   Analyze in Chat   Transform Data

< Chat GPT >

Ⅱ. 문제는 마케팅 전략 부재

챗 GPT 프롬프트를 통해 상품별 상관관계 분석을 요청하였다.

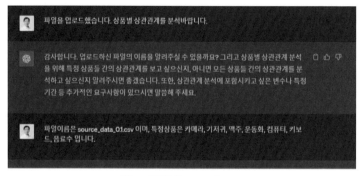

< Chat GPT Screen Capture >

챗 GPT는 다음과 같이 분석정보를 제공하였다.

< Chat GPT Screen Capture >

빅데이터와 인공지능 기술을 활용한 디지털 마케팅

< Chat GPT Screen Capture >

과거에는 마케팅 전략을 수립하거나 논리적 분석을 위해서는 통계 프로그램 사용이 필수였다. 그러나 생성형 인공지능 프로그램을 활용하는 것으로 누구나 통계분석을 할 수 있게 되었다.

2) 리타케팅 Retargeting

소비자는 개인이 선호하는 맞춤 서비스를 제공받을 경우 긍정적인 반응을 보이게 된다. 리타케팅 기법은 2010년 구글이 발전시킨 인터넷 광고로 인터넷 웹에서 사용자의 특정한 아이디와 이에 포함된 쿠키를 활용하여 광고를 노출 시키는 방법이다. 예를 들면 특정 고객이 K라는 여행 예약사이트에서 동남아 여행을 위해 A 호텔을 검색하고 예약을 망설이다가 사이트를 빠져나왔다. 이후 해당 고객이 페이스북이니 블로그 같은 통상적인 인터넷 활동을 할 때 컴퓨터에 저장된 웹사이트 쿠키를 바탕으로 K라는 여행 예약사이트와 A 호텔의 배너광고를 노출 시키는 기법이다.

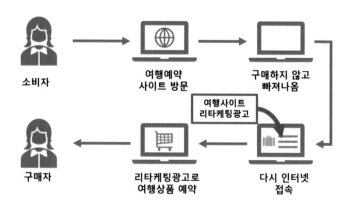

< 리타케팅 마케팅 >

3) 핀셋 마케팅 Pincette Marketing

핀셋 마케팅은 기업에서 모든 고객이 아닌 핀셋으로 집어내듯 타겟을 세분화하여 특정 고객만을 위한 마케팅 전략을 펼치는 것을 의미하며, '극세분화 마케팅', 또는 '현미경 마케팅'이라고도 한다.

빅데이터와 인공지능 기술을 활용한 디지털 마케팅

핀셋 마케팅은 기업에서 VVIP 고객을 대상으로 특별한 할인이나 혜택을 주는 것을 대표적인 사례라 할 수 있다. 또한 코카콜라에서는 국내 최초 라벨을 부착하지 않고 제품명 등을 양각으로 새긴 '씨그램 라벨프리'제품을 확대하고 있다. 이는 무(無)라벨 제품을 확대하여 재활용 용이성을 높이는 ESG 경영전략으로 환경보호에 관심이 많은 고객으로부터 긍정적 반응을 얻었다.

\<씨그램 라벨프리\>

3. 창업기업의 마케팅 전략

창업기업은 신생기업으로 고객과의 관계가 구축되기 전 단계이다. 따라서, 고객 신뢰도가 부족하여 시장진입과 마케팅 활동에 어려움이 있다. 또한 한정된 예산과 제한된 자원으로 효율성 높은 마케팅 전개가 필요하다.

가. 게릴라 마케팅 Guerilla Marketing

게릴라 전략은 소규모 조직이 적의 경비가 허술한 후방을 기습적으로 공격한 후 신속하게 빠져나와 반격을 피하는 전략을 가리키는 전투 용어이다. 게릴라 마케팅은 1980년대 제이 콘래드 레빈슨 Jay Conrad Levinson의 저서 <게릴라 마케팅>에서 대중화되었다. 전통적인 마케팅과 차별성을 두며 혁신적인 아이디어, 또는 극단적인 방법을 통해 대기업의 마케팅에 대응하기 위한 창업기업에 적합한 소규모 마케팅 기법으로 여겨졌다. 하지만 현재는 소규모 기업

빅데이터와 인공지능 기술을 활용한 디지털 마케팅

부터 대기업에 이르기까지 제품과 서비스를 효과적으로 홍보하기 위한 마케팅 전략의 하나로 발전되었다. 게릴라 마케팅은 전통적인 TV 광고나 웹사이트를 활용한 마케팅 방법을 벗어나 주변 환경, 시설물, 전단, 포스터는 물론 사람들의 행동까지 많은 것을 마케팅 도구로 이용하는 것이 특징이다. 쿠웨이트의 타이바 병원Taiba Hospital 은 유방암 자기 진단에 대한 경각심을 높이기 위해 도로의 과속방지턱을 이용하여 캠페인을 진행한 결과 유방암 검사를 받는 여성이 매월 60명에서 200명으로 증가하였다. 이처럼 간단하지만, 창의적 아이디어를 통해 저비용으로 마케팅 효과를 극대화할 수 있다. 관련 마케팅 기법으로는 앰부시마케팅Ambush Marketing, 스텔스 마케팅Stealth Marketing이 있다.

1) 앰부시마케팅Ambush Marketing

올림픽이나 월드컵 등의 스포츠 이벤트에서 공식 후원업체가 아니면서도 광고 문구 등을 통해 매복ambush하듯이 후원업체라는 인상을 심어줘 고객의 시선을 모으는 판촉 전략을 '앰부시마케팅' 또는 '매복 마케팅'이라고도 한다. 가령, 월드컵 공식 후원업체가 아님에도 '붉은 악마' 등을 광고에 활용해 마치 월드컵과 관련이 있는 업체인 것처럼 광고하는 기법을 말한다. 1984년 LA 올림픽부터 부상한 앰부시마케팅은 중계방송의 TV 광고를 구매하는 방식, 공식 스폰서인 것처럼 속이기 위해 개별선수나 팀의 스폰서가 되는 방식, 광고 문구 내 해당 이벤트 명, 국가대표 선수단 등 연상되는 용어를 사용하는 방식, 각종 매체상에서 '올림픽', '대표 선수단' 관련 이벤트를 진행하는 방식, 또는 선수단 선전을 기원하는 공동광고의 진행 등이 주로 사용하는 전략이다.

2) 스텔스 마케팅 Stealth Marketing

마치 레이더에 포착되지 않는 스텔스기와 같이 소비자의 생활 속에 파고들어 그들이 알아채지 못하는 사이에 제품을 홍보하는 기법이다.

일반 미디어 광고가 비용 대비 효율성이 점차 줄어들고 있는 상황에서 게릴라 마케팅은 최소한의 비용으로 최대한의 효과를 끌어내기 위해 다양하고 효과적인 전략을 전개하고 있다. 그러나 소비자들이 광고였다는 사실을 인지하였을 때 고객의 신뢰를 무너뜨려 역효과를 낼 수도 있다.

반면, 스텔스 마케팅은 소비자가 눈치채지 못하는 사이에 구매 욕구를 자극하는 방식이다. 예를 들어 연예인에게 일정 비용을 지불하고 연예인의 SNS에 제품이나 서비스를 소개하거나 특정 제품에 관련된 이야기를 나누는 등 호기심을 유도하는 방법 등이 스텔스 마케팅에 해당된다.

빅데이터와 인공지능 기술을 활용한 디지털 마케팅

나. 래핑 마케팅 Wrapping Marketing

랩핑이라는 말은 사전적 용어로는 '포장한다'라는 뜻으로 랩핑 광고는 기존 옥외광고의 매체와는 다른 색다른 매체에 적용할 수 있다. 대표적으로는 자동차와 건물을 들 수 있으며, 흔히 랩핑 광고를 차량 광고라고 할 정도로 자동차는 랩핑 광고에 가장 많이 활용되고 있다. 그러나, 랩핑 광고는 지하철, 건물, 도로, 노트북, 냉장고, 책상 등 폭넓게 적용할 수 있다. 랩핑 광고는 2002년 한일 월드컵 홍보 수단으로 활용되면서 국내에 본격적으로 도입되었다. 당시 한 이동통신 회사가 삼성동 무역센터 빌딩 유리창에 1,600 여장의 필름을 부착하여 만든 대형 랩핑 광고물을 설치해 화제를 모았고, 2006년 독일 월드컵 기간에는 많은 기업이 길거리 응원이 펼쳐지는 주요 장소마다 버스와 건물을 이용한 랩핑 광고를 선보였다. 넓은 의미에서 랩핑 광고란 다양한 매체에 적용할 수 있는 특수광고라고 할 수 있다.

다. 그로스 해킹 Growth Hacking

그로스 해킹은 션 앨리스 Sean Ellis에 의하여 정의되었으며, 혁신적인 데이터 기반 기술을 사용하여 빠르고 지속 가능한 성장을 달성하기 위한 전략적 접근 방식을 의미한다. 상당한 예산을 투입하는 기존 마케팅 방법과 달리 그로스 해킹은 데이터를 통해 가설을 검증하고 입증된 결과를 기반으로 예산을 점진적으로 늘리게 된

II. 문제는 마케팅 전략 부재

다. 즉, 그로스 해킹은 공격 대상의 미세한 빈틈을 찾아, 해킹하듯이 성장을 위해 고객과 유통과정 등의 공략지점을 찾아내고 이를 적극적으로 공략하는 마케팅 방법론이라고 할 수 있다.

대표적인 광고의 효과측정 방법은 로아스^{ROAS}이다. 예를 들어 네이버 광고에 100만 원을 투자하고 그 광고를 클릭하여 발생한 매출이 150만 원이라면, 로아스는 150%가 된다. 즉, ROAS Return On Ad Spend는 광고 지출 대비 수익률을 말하며, 산출 공식은

"ROAS = (해당 광고로부터의 매출 / 광고비용) x 100"이다.

ROAS는 인터넷 광고가 활성화되면서 광고 클릭 여부, 회원가입, 매출 발생 등의 측정이 가능해지면 주목받고 있는 지표이다.

Chapter 3

신규 고객 확보와
고객 유지

1. AARRR 모델

AARRR 모델은 비즈니스의 고객 라이프사이클을 분석하고 최적화하기 위해 Dave McClure가 개발한 프레임워크이다. 이는 획득Acquisition, 활성화Activation, 유지Retention, 추천Referral, 수익Revenue을 의미하며 고객 여정의 5가지 주요 단계를 나타낸다. AARRR 모델은 학자에 따라 유지, 추천, 수익의 순서를 유지, 수익, 추천 또는 수익, 유지, 추천으로 제시하기도 한다.

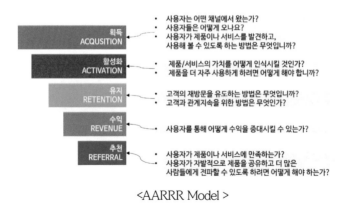

획득 ACQUSITION
- 사용자는 어떤 채널에서 왔는가?
- 사용자들은 어떻게 오나요?
- 사용자가 제품이나 서비스를 발견하고, 사용해 볼 수 있도록 하는 방법은 무엇입니까?

활성화 ACTIVATION
- 제품/서비스의 가치를 어떻게 인식시킬 것인가?
- 제품을 더 자주 사용하게 하려면 어떻게 해야 합니까?

유지 RETENTION
- 고객의 재방문을 유도하는 방법은 무엇입니까?
- 고객과 관계지속을 위한 방법은 무엇인가?

수익 REVENUE
- 사용자를 통해 어떻게 수익을 증대시킬 수 있는가?

추천 REFERRAL
- 사용자가 제품이나 서비스에 만족하는가?
- 사용자가 자발적으로 제품을 공유하고 더 많은 사람들에게 전파할 수 있도록 하려면 어떻게 해야 하는가?

<AARRR Model >

가. 획득Acquisition

이 단계에서는 잠재 고객이 우리 기업의 제품이나 서비스를 어떻게 찾고 방문하게 되는지에 중점을 둔다. 여기에는 SEO, 소셜 미디어, 이메일 마케팅, 유료 광고 등 방문자를 유치하는 데 사용되는 모든 채널과 방법이 포함되며, 랜딩페이지를 활용한 이벤트를 전개하여 가망고객 정보를 획득하기도 한다.

나. 활성화Activation

활성화는 초기 사용자 경험과 신규 사용자의 참여를 얼마나 효과적으로 유도할 수 있는지를 측정한다. 방문자가 체험판 등록, 프로필 작성, 제품의 핵심 기능 사용 등 관심을 나타내는 단계이다. 잠재 고객이 다음 단계로 전환되었는가를 측정하기 위하여 구글 애널리틱스나 네이버 애널리틱스를 사용하기도 한다.

다. 유지Retention

유지는 시간이 지남에 따라 고객을 얼마나 잘 유지하는지 추적한다. 여기에는 사용자가 다시 돌아와 제품이나 서비스를 계속 사용하도록 하는 것이 포함된다. 높은 유지율은 고객이 우리 기업 제품 사용에 가치를 느끼고 있다는 것을 의미하며, 이는 지속 가능한 성장에 매우 중요하다.

빅데이터와 인공지능 기술을 활용한 디지털 마케팅

라. 추천Referral

고객이 우리 기업의 제품이나 서비스를 다른 사람에게 추천할
가능성을 조사한다. 이는 추천 프로그램, 입소문, 소셜 공유와 같
은 메커니즘을 통해 측정할 수 있다. 높은 추천율은 종종 유기적
성장으로 이어지며 고객 확보 비용을 크게 줄일 수 있다.

마. 수익Revenue

수익은 사용자로부터 수익을 창출하는 단계이다. 여기에는 일회
성 구매, 구독 모델, 인앱 구매, 상향 판매 등 모든 수익 창출 전략
이 포함된다. 이 단계는 비즈니스의 재무적 성공을 측정하는 데 중
요하다.

2. 랜딩페이지(Landing Page)

랜딩페이지는 말그대로 비행기가 착륙하는 것처럼, 인터넷 사용자가 클릭해서 도착하는 페이지를 말한다. 즉, 배너나 검색광고 등을 클릭하였을 때 처음으로 보여지는 웹페이지로 유입되는 소비자들에게 제품이나 서비스 상품에 대한 더 많은 정보를 주고 소비자의 니즈를 자극하는 역할을 한다. 랜딩페이지를 사용하는 이유는 제품이나 서비스 상품을 판매하거나 소비자를 이벤트에 참여하도록 유도하는 역할을 한다.

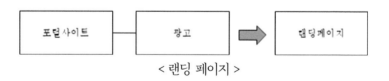

< 랜딩 페이지 >

랜딩페이지는 보통 단일 페이지로 구성하며, 페이지를 스크롤해서 내려가면 소비자에게 상품정보나 이벤트 정보를 제공하고 마지

빅데이터와 인공지능 기술을 활용한 디지털 마케팅

막에 클릭 유도 문구로 마무리한다. 효과적인 랜딩페이지는 매력적인 카피와 전략적으로 배치된 CTA^{Call To Action} 버튼을 사용하여 소비자의 행동을 유도한다.

가. 랜딩페이지의 구성

온라인 마케팅에서 랜딩 페이지는 방문자들이 특정 작업을 수행하도록 유도하여 방문자의 전환율을 높이는 역할을 하며, 랜딩 페이지 제일 위에 표시되는 히어로 섹션이 있다. 히어로 섹션은 잠재적 소비자의 관심을 끌고 계속 스크롤 할 수 있도록 유도하여야 한다. 또한, 제공하는 내용에 대하여 구체적인 정보가 기술되어 있는 디테일 섹션, 그리고 디테일 섹션을 읽고 이벤트 참가 또는 회원가입 등을 할 수 있는 CTA^{call to Action} 버튼으로 구성된다.

< 랜딩 페이지의 구성 >

제목과 부제목	• 소비자가 관심 갖도록 제목을 정한다. • 제품과 서비스 상품의 이점을 명확히 인지할 수 있는 문구로 작성한다. • 제목에 부족한 설명은 부제목으로 보완해준다.
CTA (Call to Action)	• CTA 버튼은 소비자의 행동을 일으키게 하는 직접적인 부분으로 매우 중요하다. • 소비자의 행동을 일으킬 수 있는 문장, 카피를 활용한다. • 소비자가 CTA 버튼을 클릭할 수 있도록, 디자인하고 색상을 선택한다.
혜택	• 제품이나 서비스 상품의 혜택을 소비자 입장에서 선정하고 내용을 표현한다. • 이벤트를 전개하는 경우 소비자가 제공하는 연락번호 또는 이메일의 가치 이상의 혜택으로 느낄 수 있는 프로모션을 설정한다.
리드생성 양식	• 이벤트 등에 참석하는 소비자의 이름, 이메일 주소 등을 기재할 수 있는 양식을 디자인한다. • 소비자가 무엇을 제공받게 되는지 명확하게 알려준다.

나. 랜딩페이지의 작성

랜딩페이지의 제작은 제작목적, 콘텐츠 계획, 자료수집, 페이지 생성, 최적화 및 분석설정, 게시 및 후속 조치 순으로 진행된다.

첫째, 랜딩페이지의 제작목적을 명확히 한다. 또한 잠재 고객의 관심을 끌기 위해 정보, 제품, 쿠폰 등 무엇을 제공할지 결정한다.

둘째, 랜딩페이지의 콘텐츠 개요를 정의하여 정의된 목적에 부합하는가 확인한다. 여기에는 히어로 섹션, 디테일 정보 및 CTA가 포함된다.

셋째, 이미지, 영상, 카피 등 제작에 필요한 모든 자료를 수집한다.

넷째, 랜딩페이지를 디자인하고 개발하여 데스크톱과 모바일 기기 모두에 최적화되도록 한다.

다섯째, 데이터 분석을 위한 설정을 한다. 예를 들어 네이버 또는 구글 태그 매니저GTM와 같은 애널리틱스 서비스를 통해 방문자 행동을 추적하고 데이터를 수집할 수 있다.

빅데이터와 인공지능 기술을 활용한 디지털 마케팅

마지막으로 랜딩페이지를 시작하고 원하는 조치를 취한 방문자를 위한 감사 페이지를 만들어 방문자의 경험을 향상하고 추가 참여를 유도한다.

다. 랜딩페이지 제작 툴

최근 랜딩페이지를 쉽게 제작할 수 있는 다양한 툴이 제공되고 있다. 예를 들어 망고 보드^{mangoboard.net} 사이트를 활용하여 쉽게 구성할 수 있으며, 타일^{tyle.io}, 헬프 피알^{helppr.kr} 또는 위시폰드 ^{wirshpone.co.kr} 사이트를 통하여 제작할 수 있다. 각 프로그램의 기능과 가격 차이가 있어 사용 목적에 맞는 툴을 선택하는 것이 중요하다.

헬프피알   위시폰드

< 랜딩 페이지 제작 툴 >

프레이머^{https://www.framer.com}의 서비스를 이용하면 생성형 AI 기술로 랜딩페이지를 포함하여 웹페이지, 상세페이지를 짧은 시간에 제작할 수 있다. 프레이버 사이트를 방문하여 무료 계정을 만들고

우측 위의 'New Project'를 클릭한다

< 프레이머 계정 만들고 프레젝트 시작하기>

상단의 'Action'을 클릭하고, 팝업된 창에서 AI영역의 'Generate Page...'를 클릭한다.

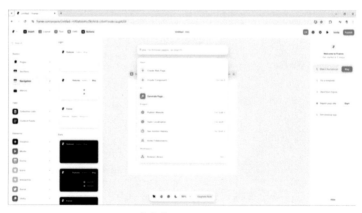

< 프레이머 Screen Capture >

빅데이터와 인공지능 기술을 활용한 디지털 마케팅

표시된 AI 프롬프트 창에 제작하고자 하는 랜딩페이지에 대한 요구사항을 입력하고 'Start'를 클릭한다. 참고로 프롬프트의 내용을 한글로 입력해도 랜딩페이지를 생성하여 주지만, 영어로 입력하는 것이 요구사항에 좀 더 가깝게 제작된다.

< 프레이머 Screen Capture >

입력한 프롬프트는 예제는 다음과 같다.

[Product and Service Information]
1. Name: Animal IoT Communication Service
2. Differentiation: With Doggish Cat's special toys, you can always communicate with your precious family.
3. Site vibe: modern, playful, happy, social

[Section Design Guide]
1. Hero Section
 1-1. Include product/service name
 1-2. Main slogan: Keep it short, strong, and iconic, less than 10 words.

1-3. Subtitle: Please write within 15 words.
1-4. Insert large, impressive images

2. Features Section
   2-1. Write about the differentiation of your product/service.
   2-3. Insert beautiful images or cool visual elements

3. Customer Reviews Section
   3-1. Write at least three fictitious customer reviews that match the content
       and tone of your site.

4. Gallery Section
   4-1. Insert at least 3 images of the product/service
   4-2. Show happy customers using products/services, photos of dogs and
       cats using products/services, etc.

5. CTA Section
   5-1. Create a catchy and memorable call to action
   5-2. Insert customer name input window
   5-3. Insert customer phone number input field

6. Foot Section
   6-1. For Animal IoT Communication Service contact information,
       please indicate email cat@dog.com or phone 02)123-4567.

7. Common
Please write everything in Korean except IoT, Doggish Cat,
and email address.

Start를 클릭하면 다음 페이지와 같이 랜딩페이지가 제작된 것
을 볼 수 있다. 제작된 랜딩페이지가 마음에 들지 않는다면, 우측의
'Regenerate'를 클릭하여 다시 제작하거나, 부분적으로 수정할 수
도 있다. 수정이 완료되면 우측 상단의 'Publish'를 클릭한다.

빅데이터와 인공지능 기술을 활용한 디지털 마케팅

< 프레이머 Screen Capture >

'Publish'를 클릭하면, URL Address가 표시되어 브라우저에서 확인할 수 있게 된다. 제작한 Landing Page는 반응형 웹페이지로 화면크기 또는 사용 디바이스 유형의 화면에 맞게 표시된다.

< 컴퓨터와 스마트폰규격의 랜딩 페이지 디자인 >

3. SNS 마케팅

전통적으로 마케팅에는 대중에게 일방적인 판촉 메시지를 전달하기 위해 매스미디어를 사용하는 활동이 포함되어 있다. 그러나 SNS^{Social Networking Services} 마케팅은 소셜 미디어 플랫폼을 통해 웹 사이트 트래픽을 유도하거나 소비자의 관심 유도를 위한 방법, 프로세스 및 전략을 의미한다. 잠재 소비자의 SNS 활용이 확대되면서 기업의 SNS 마케팅 참여도 늘어나고 있다. SNS 마케팅이 증가하는 이유는 다음과 같다.

첫째, SNS 사용자의 급증으로 SNS의 영향력이 더욱 증가하고 있다. 2021년 Tech World News 기사에 따르면 Facebook은 계정 수 10억 개를 돌파한 최초의 소셜 미디어 플랫폼이었으며 2021년 1월 월간 사용자 수는 27억 4천만 명을 넘었다. YouTube는 22억 9100만 명의 사용자로 2위를 차지했다. 이러한 대규모 사용자 기반을 통해 기업은 타겟팅할 수 있는 수많은 잠재 소비자와 커뮤니케이션 할 수 있으며 기존 마케팅 채널에 비해 비교할 수 없는 도달 범위를 제공한다.

< 가장 인기있는 소셜 미디어 플랫폼 (단위: 100만 명)>

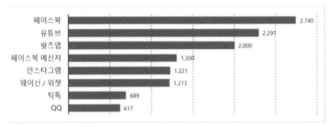

출처 : 2021년1월 테크월드뉴스 http://www.epnc.co.kr

둘째, 소셜 미디어의 이웃, 팔로워, 친구를 통해 정보가 빠르게 퍼질 수 있다. 이러한 빠른 전파는 긍정적인 메시지에 엄청난 영향을 미치지만 부정적인 메시지에도 적용된다. 따라서 기업은 SNS의 확산 특성을 잘 인지하고 관리해야 한다. 예를 들어 광주의 한 족발집은 소셜미디어를 활용해 독특한 공중 쟁반국수를 소개해 입소문을 탔다.

< 공중부양 쟁반국수 >

분점도 운영하고 있는 족발집 대표는 블로그와 인스타그램을 통한 성공적인 마케팅의 핵심은 고객들이 자발적으로 음식 사진을 찍어

SNS에 올리도록 유도하는 것이라고 강조했다. 또한, 고객들이 자발적으로 업로드한 콘텐츠가 새로운 소비자들에게 널리 알려 더 많은 고객을 유치하는 유능한 영업사원 역할을 한다고 했다.

셋째, 양방향 커뮤니케이션이 가능한 매체의 특성으로 고객의 참여, 공유, 대화를 이끌어 낼 수 있다. 이는 소비자와 지속적인 관계 구축이 가능하고 낮은 비용으로 높은 마케팅 효과를 기대할 수 있다.

가. 블로그 마케팅

'Weblog'라는 용어는 1997년 John Barger가 처음 사용했으며, 미국의 Dave Weiner가 만든 'Scripting News'가 최초의 블로그로 알려져 있다. 블로그는 웹web 과 로그log 의 합성어로, 개인이 개인적 관심사에 관한 칼럼, 일기, 기사 등 다양한 형태로 자유롭게 콘텐츠를 제작하고 공유할 수 있는 '1인 미디어 웹사이트'를 말한다.

1999년 미국에서 인기를 끌기 시작한 블로그는 2000년 한국에는 소수의 유학생을 중심으로 시작되었으며, 2003년 초에 일반 대중에게 널리 알려지고 확산되었다. 블로그의 가장 큰 특징은 누구나 쉽게 만들 수 있으며, 기존 홈페이지와 달리 실제 사용자의 경험을 바탕으로 한 광범위한 정보를 제공한다. 블로그 마케팅의 장

빅데이터와 인공지능 기술을 활용한 디지털 마케팅

점은 다음과 같다.

첫째, 검색엔진최적화SEO 이다. 블로그는 검색 엔진에서 쉽게 색인을 생성할 수 있으므로 Facebook이나 Twitter와 같은 소셜 미디어 플랫폼에 비해 검색 결과에 나타날 가능성이 더 높다. 예를 들어, 인스타그램은 팔로워들에게 즉시 알리는 데 효과적이지만, 대부분의 사람들은 여행을 계획하거나 좋은 레스토랑을 찾을 때 블로그 후기나 포털사이트의 검색결과를 참조하게 된다.

둘째, 블로그는 독자들과 신뢰를 구축할 수 있는 진정성 있고 상세한 사용자 경험 공유를 위한 플랫폼을 제공한다. 기존 광고와 달리 블로그 게시물은 심층적인 리뷰, 개인적인 이야기, 실용적인 팁을 제공할 수 있어 더 공감하고 신뢰하게 된다.

셋째, 블로그는 자세한 정보와 스토리텔링을 전달하는 데 유용한 긴 형식의 포스팅을 허용한다. 즉, 복잡한 제품을 설명하거나, 포괄적인 가이드를 공유하거나, 짧은 소셜 미디어 게시물을 통해 전달하기 어려운 광범위한 리뷰를 제공하는 데 이상적이다.

넷째, 블로그 게시물은 게시된 후에도 관련성을 유지하고 계속해서 트래픽을 유도할 수 있다. 이러한 특성은 잘 작성된 블로그 콘

III. 신규고객 확보

텐츠는 시간이 지나도 방문자와 잠재 고객을 지속적으로 끌어들이고 비즈니스에 지속적인 가치를 제공할 수 있음을 의미한다.

다섯째, 블로그는 특정 틈새 시장에 관심이 있는 독자 커뮤니티를 구축하는 데 도움이 될 수 있다. 댓글을 통해 독자와 소통하고, 질문에 응답하고, 토론을 장려함으로써 충성도 높은 팔로어를 만들 수 있다.

나. 홈페이지

회사의 실제 매장이 오프라인에서 기업 이미지를 표현한다면 회사 홈페이지는 온라인에서 이러한 역할을 하게 된다. SNS 마케팅을 통해 유인된 소비자들의 최종 목적지는 기업 홈페이지나 온라인 쇼핑몰인 경우가 많다. 잘 디자인된 홈페이지는 기업 브랜드의 정체성과 가치를 나타낼 뿐만 아니라 기업의 신뢰도에도 큰 영향을 준다.

과거에는 많은 예산을 들여 홈페이지를 구축하였지만, 지금은 간단하게 구축할 수 있고 무료 홈페이지 구축 서비스를 제공하는 곳도 있다. 홈페이지 구축 절차는 구체적인 목적과 방법에 따라 달라질 수 있으나, 일반적인 구축 절차는 다음과 같다.

빅데이터와 인공지능 기술을 활용한 디지털 마케팅

< 홈페이지 구축 절차 >

기획	홈페이지를 구축하는 목적, 대상고객과 웹개발 정책을 명확히 한다. • 홈페이지 구축 목적에 따라 주제를 결정하고, 초기화면과 하부 페이지의 구성을 설정한다. • 각 구성메뉴에 따라 담당자를 중심으로 구축 요구사항을 명시한다. • 예를 들어 기업의 제품소개 메뉴부분은 마케팅 부서의 요구사항을 명시하고, 제품의 서비스 영역은 기술부분의 요구사항을 명시하게 된다. • 홈페이지를 구축방법이 내부인력을 활용할 것인지, 외부인력을 활용할 것인지 또는 전산개발부와 같은 전문 담당부서의 존재여부에 따라 차이가 발생한다. 홈페이지를 구축하기 위한 인력을 확보하고 기획자, 웹디자이너, 프로그래머 등을 세부적으로 선정하고 개발하여야 한다. • 홈페이지를 구축하기 위한 개발기간과 소요 예산을 산출한다.
자료수집	• 홈페이지를 구축하기 위하여 필요한 자료를 수집한다. • 주제와 내용 구성이 확정되면 구체적으로 어떻게 표현할 것인지 스토리보드를 작성한다.
설계	• 홈페이지의 구성과 사이트 맵을 디자인한다. • 방문자의 사용 디바이스(컴퓨터, PDA, 스마트폰 또는 모두)를 고려하여 디자인한다. • 방문자 관점에서 디자인하고 제공하는 내용을 확정한다.
제작	• 설계단계에서 확정한 디자인을 바탕으로 홈페이지를 구축하는 단계이다. 효과적으로 개발할 수 있도록 개발도구를 사용하고, 다양한 디바이스와 브라우저를 지원할 수 있도록 개발하여야 한다.
홍보	• 구축된 홈페이지를 소비자들에게 알리는 단계이다. 잘 구성된 홈페이지를 구축하였어도 소비자가 방문하지 않는다면 아무런 의미가 없다. 따라서 검색 최적화 또는 적극적인 홍보를 전개하기도 한다.
유지보수	• 홈페이지를 통하여 제공하는 정보를 지속적으로 업데이트한다. • 새롭게 등장하는 기술과 소비자의 요구를 반영하여 재구성하거나 새로운 기술을 도입한다.

다. 네이버 스마트 플레이스

국내에서 가장 널리 사용되는 검색엔진인 네이버는 다양한 서비스를 제공하고 있으며, 네이버 스마트 플레이스는 높은 검색량으로 단연 돋보이는 네이버 서비스 중의 하나이다. 네이버 스마트 플레이스는 네이버 지도 및 네이버 검색엔진에서 검색 결과를 상단에 노출 시켜주며, 사용자에게 위치정보, 영업시간, 전화번호, 뉴스, 메뉴, 리뷰, 사진 등의 추가 정보를 제공한다.

네이버 스마트 플레이스에 등록하려면 네이버 플레이스 홈페이지에 접속해 로그인 또는 네이버 계정을 만든 후 업체 정보를 입력하고 사업자등록증, 영업시간, 사업체 전화번호, 업체 사진 등의 정보를 업로드하면 된다.

라. 페이스북

페이스 북은 2003년 페이스메시^{Facemash}라는 이름으로 처음 등상했는데, 당시 페이스메시는 하버드 내학생들만 이용힐 수 있던 서비스로 교내 정보 교환 및 인맥 구축 용도로 서비스 되었다. 2004년에는 더 페이스 북^{The Facebook}이라는 이름으로 기존의 하버드 대학을 비롯하여 스탠퍼드, 콜롬비아, 예일 대학까지 영역을 확장시켰다.

널리 사용되는 소셜 네트워킹 플랫폼인 Facebook을 통해 사용자는 개인 정보를 입력하고, 인적 네트워크를 구축하고, 사진, 비디오, 음악 및 메시지를 주고 받을 수 있다. Facebook 플랫폼은 크게 개인, 그룹, 페이지, 이벤트의 4가지 요소로 구성된다.

< 페이스북의 구성요소 >

개인계정	• 팔로워 수는 무제한이지만, 친구 맺기는 5,000명으로 제한
페이지	• 2007년 11월 출시되어 많은 기업의 참여로 거대한 비즈니스 공간이 되었다. • 기업, 관공서, 팬클럽 등에서 공식적인 소식을 전달하거나 기업 간의 교류역할을 하고 있음
그룹	• 가입 회원이 무제한 • 판매그룹 기능으로 전자 상거래가 가능
이벤트	• 개인, 페이지, 그룹이 오프라인 만남 등의 이벤트를 기획하고 공지하는 곳

빅데이터와 인공지능 기술을 활용한 디지털 마케팅

Facebook의 그룹, 페이지, 이벤트 기능은 소셜 네트워킹 영역을 넘어 강력한 마케팅 공간으로 활용되고 있으며, 페이스북을 활용한 마케팅 방법에는 페이지 구축을 통한 홍보 및 잠재 고객과의 네트워크 구축과 페이스북 광고로 나눌 수 있다.

페이지 구축을 통한 홍보 및 잠재 고객과의 네트워크 구축은 다양한 이벤트 및 홍보활동을 통해 팬 수를 늘리고, 기존 및 잠재 고객 대상 지속적인 정보제공과 소통, 로열티 구축이 가능하여 특히 B2C$^{Business\ to\ Consumer}$ 마케팅에 있어 필수적인 도구로 이용되고 있다. 특히, 페이스북 기업 페이지에서는 텍스트, 사진, 동영상 등 다양한 포맷으로 메시지를 전달할 수 있고, 소비자 조사, 생중계, 이벤트 등 다양한 기능을 가진 tab을 개발하여 특화된 컨셉의 메시지를 제공할 수 있다.

페이스북을 통한 광고는 다음과 같은 장점이 있다.

첫째, 광고 메시지의 도달 범위가 넓다. 이용자가 광고 메시지에 대해 '좋아요'나 '공유하기'를 클릭하는 경우 그 이용자의 친구들에게 자연스럽게 노출되고 이러한 단계를 반복적으로 거치게 되면 그 광고 메시지의 도달 범위는 다른 미디어보다 우세하다.

둘째, 기존 광고매체보다 비용적인 측면에서 저렴하다는 강점이 있다.

셋째, 소비자와의 즉각적인 소통의 역할도 겸할 수 있다. 시간과 공간의 제약을 뛰어넘어 소비사와의 빠른 소동을 통해 긍정직인 태도 형성에 기여할 수 있다.

넷째, 기업은 이용자들의 페이스북 상의 프로필을 바탕으로 세분화된 타겟팅이 가능하다. 이를 통해 맞춤형 광고의 제작 및 전달할 수 있어 높은 광고의 효율성을 기대할 수 있다.

다섯째, 기업과 소비자 사이의 감정적 애착을 유발할 수 있는 도구로 활용될 수 있다. 즉, 단순히 정보만을 전달하는 것이 아니라 소비자와의 감정적 소통을 통한 유대 관계 형성에 효과적이다.

마. 인스타그램

인스타그램 Instagram은 사진과 동영상을 공유하기 위해 설계된 인기 있는 소셜 네트워킹 서비스 SNS이다. "인스턴트"와 "텔레그램"이라는 단어를 결합하여 인스타그램으로 불리는 이 플랫폼은 Kevin Systrom과 Mike Krieger가 공동 개발했으며 2010년 10월 공식적으로 출시되었다.

인스타그램에 표시된 정보의 게시물은 내가 올린 콘텐츠를 말하며, 숫자는 지금까지 올린 게시물의 수를 나타낸다. 팔로워는 나를 팔로워하고 내 게시물을 구독하는 사람을 의미하고, 숫자는 현재 팔로워 수를 나타낸다. 팔로우는 내가 다른 사람의 게시물을 보기 위해 팔로우한 계정이며, 숫자는 현재 팔로우한 수를 나타낸다.

인스타그램의 계정생성은 최대 5개까지 가능하며 인스타그램의 계정은 개인계정과 비즈니스 계정으로 분류된다. 비즈니스 계정에는 전화번호, 이메일 주소, 찾아가는 길 등의 버튼이 있으며, 인스타그램 광고를 집행할 수 있다. 따라서 홍보 목적의 인스타그램을 운영할 계획이라면 비즈니스 계정 개설을 추천한다. 인스타그램 계정은 개인계정에서 비즈니스 계정으로 전환할 수 있으며, 반대로 비즈니스 계정을 다시 개인계정으로 전환할 수도 있다.

인스타그램은 사진이나 이미지를 업로드할 수 있도록 다양한 촬영기법과 필터 기능을 제공하고 있으며, 카드 뉴스, 동영상 업로드 및 라이브 서비스도 가능하다. 동영상을 직접 인스타그램에 업로드할 수 있는 영상의 길이는 최대 60초이며, 그 이상의 영상은 스토리 등에 URL을 링크할 수 있다.

< 인스타그램 샘플 이미지 >

10억 명이 넘는 사용자를 보유하고 있는 Instagram은 디지털 마케팅을 위한 강력한 플랫폼으로, 기업이 타겟 고객에게 도달하고 참여를 유도하는 데 도움이 되는 다양한 기능과 도구를 제공한다. 효과적인 마케팅을 위해 Instagram을 활용하는 방법은 다음과 같다.

첫째, 프로필 사진(대개 로고), 비즈니스에 대한 간략한 설명이 포함된 매력적인 약력, 웹사이트 또는 특정 랜딩 페이지에 대한 링

빅데이터와 인공지능 기술을 활용한 디지털 마케팅

크로 비즈니스 프로필을 최적화하고, 이메일, 전화번호, 실제 주소 등 비즈니스 프로필의 연락처 정보를 등록한다.

둘째, 일관된 색상, 필터, 테마를 사용하여 눈에 띄고 매력적인 콘텐츠 제작으로 브랜드 아이덴티티를 반영한다. 또한 고객이 우리 기업의 제품이나 서비스를 소개하는 콘텐츠를 인스타그램에 올리도록 유도한다.

셋째, 해시태그를 사용하여 게시물의 검색 가능성을 높인다. 해시태그Hashtag란 소셜 네트워크 등에서 사용되는 기호로 해시 기호(#) 뒤에 특정 단어를 쓰면 그 단어에 대한 글을 모아 분류해서 볼 수 있게 된다.

넷째, 설문 조사, 질문, 퀴즈, 슬라이더와 같은 대화형 기능을 활용하여 소비자의 참여를 유도한다. 또한, 중요한 스토리를 프로필에 저장하여 24시간 후에도 액세스할 수 있도록 한다.

다섯째, 흥미롭고 재미있는 짧은 동영상을 제작하여 인스타그램 릴스 기능을 활용하여 공유한다.

여섯째, 인스타그램 광고기능을 활용하여 우리기업의 제품, 서비스 또는 이벤트에 대하여 알린다. 인스타그램 광고 기능을 활용하면 위치, 관심사, 행동 등을 기반으로 특정 인구통계에 도달하는 타겟 광고를 할 수 있다.

바. 유튜브

2005년 2월 스티브 첸Steve Chen, 채드 헐리Chad Hurly와 자웨드 카림Jawed Karim은 누구나 좋아하고 이용하기 쉬운 동영상 기반 소셜 미디어를 만들기로 하고 모든 사람을 의미하는 'You'와 텔레비전을 의미하는 'Tube'를 합성하여 'YouTube'라는 플랫폼을 구축하였다. 2006년 10월 구글은 유튜브를 16억 5천 달러에 인수하였다. 현재 유튜브 플랫폼은 80개 언어로 100여 개 국가에 서비스를 하고 있으며, 22억 9천 명이 넘는 사용자를 확보한 거대한 플랫폼으로 자리 잡았다.

유튜브는 영상을 활용하여 브랜드, 제품 또는 서비스 상품에 대하여 소비자의 관심을 유도하기 위한 콘텐츠로 사용되고 있으며, 유튜브 채널 운영 자체만으로도 수익을 창출하기 위한 목적으로도 활용하고 있다. 또한 스마트폰 사용의 확산, 초고속 인터넷망의 확대, 무료 동영상 편집 프로그램의 보급 확대는 유튜브 콘텐츠 확산을 가속화 시켰다. 동영상 미디어 시장의 규모가 커짐에 따라 관청, 기업 그리고 다양한 단체 등에서도 소셜 미디어를 적극적으로 활용하고 있다.

< 유튜브 채널 샘플 이미지 >

가. 유튜브 영상을 활용한 광고는 스킵 광고 Trueview Instream, 범퍼 광고 Bumper Ad, 트루뷰 디스커버리 광고 Truview Discovery, 트루뷰 포 액션 광고 Trueview for Action, 논 스킵 광고 Non-skippable Ad, 마스트 헤드 광고 Masthead 등 다양한 유형이 있다.

1) 스킵 광고 Trueview Instream

건너뛸 수 있는 동영상 광고를 말하며, 시청자가 유튜브 영상을

125

볼 때, 영상 전후 또는 중간에 재생되는 광고이다. 5초간 스킵 할 수 없으며, 5초가 지난 후부터 스킵할 수 있다. 유튜브를 이용하는 사용자가 가장 많이 접하는 광고이다. 게재할 수 있는 광고의 길이 (러닝타임) 제한이 없다는 점에서 상당히 매력적이다. 또한 30초 이상 시청하지 않고 스킵해 버린다면 광고비를 내지 않아도 되는 파격적인 과금 방식을 선택할 수 있다. 조회율의 시장 평균치는 약 20~30%로, 10명 중 7~8명이 30초 이내에 빠져나가는 것으로 알려져 있다.

2) 범퍼 광고 Bumper Ad

범퍼 광고 역시 스킵 광고와 게재 위치는 동일하다. 영상 시청 전후 또는 중간이다. 그러나 게재할 수 있는 광고의 길이가 6초 이하여야 하며, 6초 동안 스킵 할 수 없다. 과금은 광고가 노출될 때마다 된다. 즉, 스킵 광고는 30초 시청 시점부터 과금된다. 게다가 5초 동안은 스킵 할 수도 없다. 따라서 굳이 6초짜리 과금 상품을 선택할 이유가 없다고 판단할 수도 있으나 구글의 분석 결과 범퍼 광고의 효과가 높은 것으로 나타났다.

3) 트루뷰 디스커버리 광고 Truview Discovery

트루뷰 디스커버리 광고는 홈 피드, 검색 결과, 추천 영상, 영상 시청 페이지 영역 등에 썸네일 형태로 나타난다. '광고'라고 표시는

빅데이터와 인공지능 기술을 활용한 디지털 마케팅

되어 있지만, 마치 내가 찾고 있던 영상 중에 하나인 듯 착각을 불러일으킨다. 유튜브가 점점 검색 사이트로 기능하고 있는 것을 고려하면, 검색 결과의 일부로 당당히 등장한다는 점 역시 매력적이다. 더구나 무언가를 구매하려는 고객 중 50%가 유튜브로 정보를 검색한다는 의미 있는 통계가 있다.

4) 트루뷰 포 액션 광고 Trueview for Action

트루뷰 포 액션 광고는 이름처럼 '액션'을 유도하는 광고 상품이다. 기본적인 광고 형태나 게재 위치는 스킵 광고와 동일하지만, 광고 종료 후 화면 한가운데 팝업 형태의 '엔드 카드'버튼이 생성된다는 점이 가장 큰 특징이다.

클릭 유도 문안 및 제목 텍스트 오버레이 등을 함께 사용할 경우 클릭률을 더 높일 수 있다. 우리 브랜드 상품을 잘 알고 있고 구매하려는 단계에 있는 고객에게 사용하기 적합하다.

5) 논 스킵 광고 Non-skippable Ad

건너뛸 수 없는 동영상 광고로 스킵 광고와 마찬가지로 영상 시청 전후 또는 중간에 재생된다. 그러나 스킵 광고와 다르게 15초 동안 스킵 할 수 없다는 점이 다르다.

스킵 광고의 경우 광고가 사실상 길이 제한이 없지만, 논 스킵 광고의 게재할 수 있는 광고 영상 길이는 15초 이내로 제한된다.

6) 마스트헤드 광고 Masthead

마스터 헤드광고는 유튜브 홈 화면 최상단에 노출되는 광고 상품으로 단기간에 인지도를 높이기 위한 목적으로 사용된다.

4. AI 기술을 활용한 마케팅 전략

2016년 3월, 바둑 9단 이세돌과 구글의 인공지능^{AI} 바둑 프로그램인 알파고의 바둑 대결이 전 세계를 사로잡으며 AI에 대한 폭넓은 관심을 불러일으켰다. 대부분의 전문가들은 이세돌의 우월성을 예측했지만, 예상치 못한 이세돌의 패배는 AI^{Artificial Intelligence} 기술의 막강한 힘과 잠재력을 부각시켜 대중과 전문가 모두를 놀라게 했다.

AI는 사회의 다양한 부문에서 변화의 촉매제이자 새로운 부가가치의 원천으로 점점 더 인식되고 있다. 인공지능이란 인간의 지능을 기계나 범용 컴퓨터에 인공적으로 구현하는 것을 말하며, AI 기능은 독립적으로 작동할 수 있지만 인간의 작업을 대체하거나 인간의 능력을 강화하기 위해 다양한 분야에 통합되는 경우가 많다. 마케팅에서 AI 기술은 제품 추천, 고객 경험 개인화, 맞춤형 마케팅 전략 수립에 활용되고 있다.

　인공지능과 관련된 용어의 개념을 정리하면 다음과 같다. 가장 상위의 개념이 인공지능ᴬᴵ이고, 머신러닝ᴹᴸ, 딥러닝ᴰᴸ이 포함되는 개념이다.

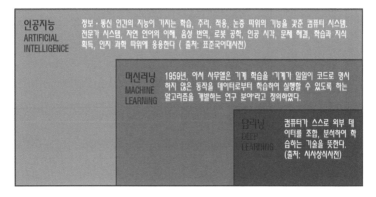

< 인공지능 용어의 개념 >

가. 머신러닝

　머신러닝ᴹᴸ은 기계가 인간의 인지를 모방하는 방식으로 데이터로부터 학습하고 의사결정을 내릴 수 있도록 하는 데 초점을 맞춘 인공지능 분야이다. 인간이 지식을 습득하고 인지, 판단, 추론하는 능력을 개발하는 것과 마찬가지로, 머신러닝에는 패턴을 인식하고, 결론을 도출하고, 데이터를 기반으로 예측하는 알고리즘 개발이 포함된다.

전통적인 컴퓨터 프로그래밍에서는 규칙을 명시적으로 코딩하고 프로그램에 데이터를 입력하여 결과를 얻는다. 대조적으로, 머신러닝은 이 프로세스를 반대로 한다. 규칙을 사전 정의하는 대신 ML 알고리즘은 대규모 데이터 세트를 분석하여 패턴과 관계를 찾아낸 다음 예측 모델과 의사 결정 프레임워크를 생성하는 데 사용된다.

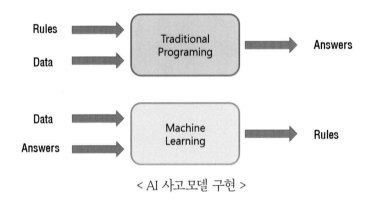

< AI 사고모델 구현 >

나. 딥러닝 기술

딥 러닝은 두 개 이상의 히든 레이어Hidden Layer가 있는 신경망을 활용하는 기계 학습 알고리즘의 하위 집합이다. 다층 퍼셉트론 Multilayer perceptron과 같은 기존 기계 학습 모델은 인풋 레이어input layer와 아웃풋 레이어output layer 사이에 히든 레이어hidden layer를 두어 학습할 때 최적의 가중치를 계산하지만, 이러한 모델은 복잡한 알고리즘 표현을 구성하는 데 종종 한계에 직면한다. 딥 러닝은 2개 이상의 히든 레이어를 사용하여 이러한 한계를 극복하기 위해 생겨났으며 이를 딥러닝이라고 한다.

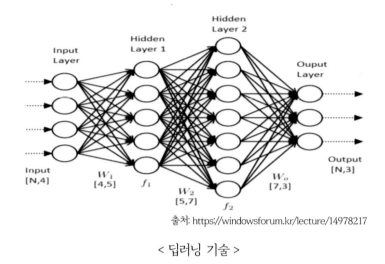

출처: https://windowsforum.kr/lecture/14978217

< 딥러닝 기술 >

딥 러닝 아키텍처에는 각각 특정 작업 및 데이터 유형을 위해 설계된 여러 유형의 신경망이 포함되어 있다.

1) CNN^{Convolutional Neural Networks}은 주로 이미지 및 비디오 인식에 사용되며, 입력 데이터에 필터를 적용하고 공간 계층과 패턴을 캡처하는 컨벌루션 레이어로 구성된다. CNN은 이미지 분류, 객체 감지, 얼굴 인식 등의 작업에 널리 사용된다.

2) DNN^{Deep Neural Networks}은 입력 레이어와 출력 레이어 사이에 여러 개의 숨겨진 레이어가 있는 신경 네트워크이다. 데이터의 복잡

빅데이터와 인공지능 기술을 활용한 디지털 마케팅

하고 비선형적인 관계를 모델링할 수 있으므로 음성 인식 및 자연어 처리를 포함한 다양한 애플리케이션에 적합하다.

3) RNN$^{Recurrent\ Neural\ Networks}$은 시계열 또는 텍스트와 같은 순차 데이터용으로 설계되었다. 여기에는 정보가 지속되도록 하는 루프가 있어 언어 모델링, 기계 번역, 음성 합성 등 시간적 종속성과 관련된 작업에 효과적이다.

4) GAN$^{Generative\ Adversarial\ Networks}$은 서로 경쟁하는 생성자와 판별자라는 두 개의 신경망으로 구성된다. 생성기는 가짜 데이터를 생성하고, 판별기는 데이터의 진위 여부를 평가한다. 이러한 적대적 프로세스는 생성기의 현실적인 데이터 생성 능력을 향상시켜 이미지 생성, 비디오 생성 및 데이터 증대에 GAN을 유용하게 만들어 준다.

딥러닝에 대한 선구적인 공헌 중 하나는 DBN$^{Deep\ Belief\ Network}$에 대한 중요한 논문을 발표한 Geoffrey Hinton 교수이다. 2012년에 Hinton의 팀은 ImageNet Large Scale Visual Recognition Challenge^{ILSVRC}를 위해 세계 최대 네트워크에 DBN 알고리즘을 적용했다. 당시 다른 팀은 약 26%의 이미지 인식 오류율이 있었지만, Hinton의 팀은 약 15%의 오류율을 달성하여 인공지능 분야의 중

추적인 순간을 기록하고 딥러닝 기술의 잠재력을 보여줬다.

나. 마케팅에 사용되는 AI 기술

1) 상품추천 서비스

최근 인공지능^AI 기술이 빠르게 발전하면서 다양한 산업에서 활용되고 있다. 추천 시스템^Recommendation System 도 인공지능의 일종^a type of artificial intelligence 이며 아이템과 사용자 사이의 상호작용으로부터 유사성을 분석하여 제품이나 서비스를 추천한다. 이러한 추천 시스템은 추천 알고리즘에 따라 협업 필터링 추천 시스템^Collaborative Filtering Recommendation System, 콘텐츠 기반 추천 시스템^Content-based Recommendation System 및 하이브리드 추천 시스템^Hybrid Recommendation System 으로 분류된다.

첫 번째의 협업 필터링 추천 시스템^Collaborative Filtering Recommendation System 은 사용자에 대한 데이터베이스를 구축하고 사용자 특성이 유사한 사용자(즉, 상관관계가 높은 사용자)를 찾고 상품을 추천해 준다. 협업 필터링은 가장 일반적으로 구현되는 기술로 비슷한 특성을 가진 다른 사용자를 식별하여 품목을 추천하는 방식이다. 예를 들어, 고객 특성이 비슷한 A 고객이 구매한 상품을 B 고객에게 추천하는 것이다. 아마존^Amazon 은 상품추천 서비스에 활용하였으며, 소셜 네트워크 서비스인 페이스북^Facebook 은 비

숫한 성향의 새로운 친구나 그룹을 추천하는 전략으로 활용하기도
했다.

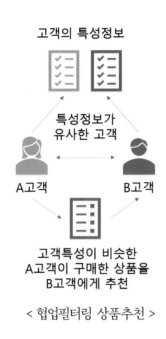

고객의 특성정보

특성정보가
유사한 고객

A고객   B고객

고객특성이 비슷한
A고객이 구매한 상품을
B고객에게 추천

< 협업필터링 상품추천 >

두 번째의 콘텐츠 기반 추천 시스템^{Content-based Recommendation}

^{System}은 사용자가 그동안 이용한 항목의 '내용 정보'를 분석해 그
와 비슷한 항목을 추천하는 방식이다. 이 방식은 콘텐츠의 '내용'을
분석하기 때문에, 협업 필터링과 달리 신규 상품을 추천하는 데 유
용하지만, 구매이력이 없는 신규고객에게 상품을 추천하기에는 어
려움이 있다.

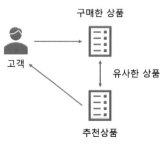

< 콘텐츠 기반 추천 시스템 >

마지막으로 하이브리드 추천 시스템 ^{Hybrid Recommendation System} 은 협업필터링 추천 시스템과 콘텐츠 기반 추천 시스템을 혼합하여 상호 보완적 추천 알고리즘을 적용한 시스템이다.

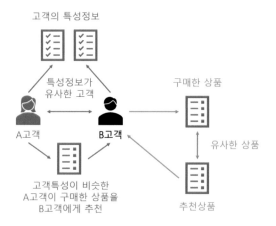

< 하이브리드 추천 시스템 예제 >

2) 개인화 홈페이지

AI 기술을 적용한 개인화 홈페이지는 사용자의 행동, 관심사, 선호도 등을 분석하여 맞춤형 콘텐츠를 제공하는 웹사이트이다. 이를 통해 사용자의 관심을 끌어들여 참여도와 만족도를 향상시킬 수 있다.

개인화 홈페이지 구현을 위해 다양한 AI 기술이 활용된다. 예를 들어, 추천 시스템은 사용자의 이전 구매 이력, 검색 기록, 평가정보 등을 분석하여 관련성이 높은 제품이나 콘텐츠를 추천한다. 이를 통해 사용자는 자신의 관심사에 맞는 정보를 쉽게 찾을 수 있게 된다. 또한, 자연어 처리 기술을 활용하여 사용자의 검색이나 질문을 이해하고, 그에 맞는 답변이나 결과를 제공할 수도 있다. 이는 대화형 인터페이스를 통해 개인화된 상담 서비스를 제공할 수 있게 된다.

개인화 홈페이지는 사용자의 편의성과 만족도를 높이는 동시에, 기업이 사용자의 행동과 선호도에 대한 정보를 수집하여 마케팅 전략 수립이나 제품 개선에 활용할 수 있고, 고객의 상품구매율을 높일 수도 있다.

5. 스텝메일

스텝메일은 랜딩페이지 또는 다양한 홍보, 마케팅으로 취득한 잠재적 소비자에게 첫 번째, 두 번째, 세 번째 메일을 단계적으로 발송하는 것을 말한다. 기업은 랜딩페이지를 통해 신청한 잠재적 소비자에게 7일에 거쳐 메일을 보낼 수 있다. 즉, 일정 기간에 일정 수량의 메일을 전략적으로 발송할 수 있다.

< 스텝메일 프로세스>

스텝메일을 사용하면 다음과 같은 장점이 있다.

a. 자료를 요청한 잠재적 소비자에게 전략적이고 효과적으로 메일을 발송할 수 있다.

빅데이터와 인공지능 기술을 활용한 디지털 마케팅

b. 한번 등록된 잠재적 소비자를 상품구매 이후까지 지속적으로 관리할 수 있다.

c. 지속적인 상품정보, 이벤트 정보제공 및 다른 상품도 제안할 수 있다.

d. 발송하는 메일의 편리한 내용변경 및 고객 반응관리가 가능하여 구매 전환을 예상할 수 있으며, 문제점을 파악하고 개선할 수 있다.

스텝메일을 활용한 마케팅의 효과는 시나리오 구성을 어떻게 하는가에 영향을 받는다. 스텝메일의 시나리오 구성 시 고려할 점은 스텝수, 콘텐츠와 판매상품의 연계, 가치관의 공유 등이 있다.

a. 스텝 수

잠재적 소비자에게 몇 번 메일을 발송하는 것이 좋을지 결정한다. 우리나라의 경우 짧게는 3회, 길면 7회 정도를 권장한다

b. 콘텐츠와 판매상품의 연계

스텝메일을 작성할 때는 콘텐츠와 세일즈를 균형있게 조합하여야 한다. 콘텐츠만 있고 세일즈가 없다면 자원봉사의 결과가 되며, 반면 세일즈만 있다면 잠재적 소비자의 이탈이 증가한다.

c. 가치관의 공유

상품구매를 유도하기 위하여 사전에 제공할 교육, 가치관을

정의하고 준비한다

스텝메일의 성과관리는 개봉률, 클릭률 그리고 상품구매 또는 회원등록 등으로 한다.

a. 개봉률 모니터링

메일의 개봉률이 낮으면 아무리 좋은 시나리오도 소용없다. 개봉률에 영향을 주는 것은 제목과 메일발송 주소이다. 첫 번째, 두 번째, 세 번째, N 번째 메일의 개봉률을 측정/관리한다.

b. 클릭률 모니터링

클릭률이란, 발송 성공한 사람 중 이메일에 포함된 링크를 클릭한 사람의 비율을 말한다.

c. 성과측정

상품구매, 회원등록 등으로 최종적인 성과 항목으로 관리하며, 성과를 높이기 위해서는 개봉률과 클릭률을 높여야 한다.

그러나 정보통신망을 통해 수신자의 명시적인 사전 동의 없이 일방적으로 전송되는 영리 목적의 광고성 정보를 '스팸'이라고 하며, 「정보통신망 이용촉진 및 정보보호 등에 관한 법률」 제50조부터 제50조의 8의 규정을 위반하는 불법 스팸은 형사처벌 및 과태료 부과의 대상이 될 수 있다.

빅데이터와 인공지능 기술을 활용한 디지털 마케팅

6. 구글 애널리틱스의 활용

　블로그나 유튜브 채널, 전자상거래 사이트를 운영해 본 적이 있다면 방문자의 행동을 분석하기 위해 통계 정보를 확인하는 것이 얼마나 중요한지 잘 알고 있을 것이다. 이 데이터는 참여도를 높이고 트래픽을 유도하기 위한 전략을 개발하는 데 매우 중요하다. 예를 들어 방문자의 인구통계, 행동, 선호도를 이해하면 콘텐츠와 마케팅 활동을 보다 효과적으로 맞춤화하는 데 도움이 될 수 있다.

　웹 사이트 방문자, 접속 기기, 접속 위치 등 관련 지표를 분석하기 위해서는 전통적으로 사이트 방문 정보에 대한 로그 파일을 생성, 저장, 분석하는 프로그램을 사용해야 했다. 그러나 Google Analytics 및 Naver Analytics와 같은 최신 도구는 이 프로세스를 단순화했다. 이러한 분석 플랫폼에 접속하고, 계정을 만들고, 간단한 설정을 완료하면 웹사이트에서 고객 활동에 대한 다양하고 구

III. 신규고객 확보

체적인 정보를 파악할 수 있다.

가. 웹로그의 개념

웹로그는 사용자가 웹페이지에 접속하여 어떻게 활동하였는가를 분석하기 위해 수집하는 데이터를 말한다. 예를 들어 기업의 웹 서버 가입페이지에 접속한 사람이 100명이고, 가입 완료 페이지에 접속한 사람이 10명이라면 회원가입을 시도한 사람 중 10%만 가입하였다는 것을 알 수 있다. 이는 잠재 고객의 최대 90%가 회원가입을 포기하였음을 말한다. 아마도 불편한 등록 절차나 등록 완료시 얻을 수 있는 혜택이 부족하다고 인식되었기 때문일 수 있다.

웹로그 정보를 수집하기 위해서는 웹로그 수집을 위한 프로그램, 수집된 정보를 저장할 데이터베이스 등의 전문적이고 복잡한 작업이 필요하다.

나. 애널리틱스

네이버 애널리틱스 또는 구글 애널리틱스를 활용하면, 별도의 프로그램이나 수집된 정보를 저장할 데이터베이스 서버를 구축할 필요 없이 사용자의 다양한 웹 활동 정보를 수집하고 분석할 수 있다.

빅데이터와 인공지능 기술을 활용한 디지털 마케팅

| 애널리틱스
계정 만들기 | → | 분석대상 웹사이트에
추적코드 삽입하기 | 방문고객의 정보가 누적저장 | 애널리틱스
분석레포트 확인 |

< 애널리틱스 사용 절차 >

애널리틱스의 비교

1) 구글 애널리틱스^{Google Analytics}는 무료로 활용할 수 있는 웹활동 분석 서비스이다. Google Analytics는 2005년부터 서비스하는 웹 분석 도구이며, 다음 5가지 핵심 영역에 대한 분석정보를 제공한다.

　a.　실시간

　　이 영역에서는 사이트에서 발생하는 사용자 활동에 대한 실시간 데이터를 제공한다. 현재 접속 중인 사용자, 지리적 위치, 보고 있는 페이지, 실시간으로 수행 중인 작업 등을 확인할 수 있다.

　b.　대상

　　이 섹션에서는 인구통계, 관심사, 지역, 행동, 사용된 기술 등 방문자가 누구인지에 대한 정보를 제공한다. 이는 방문자를 더 잘 이해하고 그에 따라 콘텐츠 및 마케팅 전략을 맞춤화하는 데 도움이 된다.

III. 신규고객 확보

c. 획득

여기에서 사용자가 귀하의 사이트에 어떻게 접속하였는지 확인할 수 있다. 트래픽 소스를 자연 검색, 유료 검색, 직접, 추천, 소셜 등의 채널로 분류한다. 이는 마케팅 활동의 효과를 평가하는 정보로 활용할 수 있다.

d. 행동

이 영역은 사이트 내 사용자 상호 작용에 대한 정보를 제공한다. 즉, 페이지 조회 수, 콘텐츠 드릴다운, 처음 접속 페이지, 종료 페이지 및 사이트 속도에 대한 데이터가 포함된다. 이를 통해 사용자가 사이트에서 무엇을 하고 있는지 이해하고 개선이 필요한 영역을 식별하는 데 참고 정보로 활용할 수 있다.

e. 전환

이 섹션에서는 구매, 가입, 기타 주요 액션 등 귀하가 설정한 목표를 추적할 수 있다. 전환율, 목표 달성, 사용자가 이러한 목표를 달성하기 위해 취하는 경로를 보여줌으로써 사이트 사용자 여정의 효율성에 대한 중요한 정보를 제공한다.

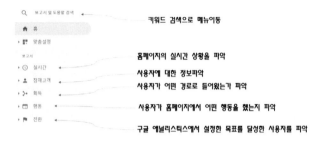

< 구글 애널리틱스 보고서 유형 >

1) 구글 애널리틱스 활용하기

a. 계정 만들기

구글 애널리틱스 서비스를 이용하기 위해서는 구글 애널리틱스 계정을 만들어야 한다. 구글 애널리틱스 서비스 이용은 크롬 브라우저 사용을 권장한다. 계정생성은 크롬 브라우저에서 구글 애널리틱스를 검색하여 몇 번의 클릭으로 구글 애널리틱스 계정을 생성할 수 있다.

< 구글 애널리틱스 시작 >

홈페이지, 시간, 통화를 설정한다.

비즈니스 정보를 입력한다.

다음 단계로 활동데이터를 수집할 플랫폼을 선택한다. 예를
들어 웹페이지 방문자의 활동 정보를 수집할 것이라면 '웹'

빅데이터와 인공지능 기술을 활용한 디지털 마케팅

을 선택하면 된다.

웹 사이트의 URL을 입력한다.

b. 구글 애널리틱스의 추적 코드 생성

III. 신규고객 확보

추적 코드 스크립트를 복사한다

c. 구글 애널리틱스에서 생성한 추적 코드를 홈페이지에 삽입
   </head> 태그 앞부분에 삽입하면 된다.

빅데이터와 인공지능 기술을 활용한 디지털 마케팅

d. 랜딩 페이지에 추적코드를 삽입

삽입하는 방법은 랜딩페이지를 제작하는 툴에 따라 다소 차이가 있을 수 있으나, 애널리틱스 메뉴를 찾아 쉽게 삽입할 수 있다.

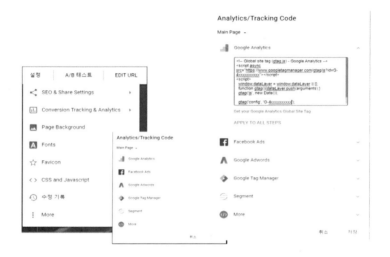

홈페이지 또는 랜딩 페이지 접속자의 활동 정보를 확인한다.

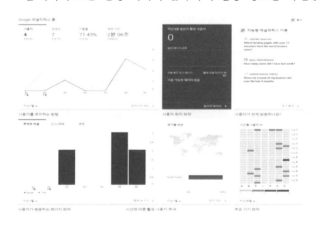

III. 신규고객 확보

2) 네이버 애널리틱스

네이버 애널리틱스는 2012년부터 서비스하고 있으며, 제공하는
분석 결과의 유형이 한정적이며, 범용성이 떨어지는 단점이 있다.
그러나 쉽고 간단한 메뉴 구조로 처음 접하는 사람도 쉽게 이해
하고 활용할 수 있다.

< 네이버 애널리틱스 >

빅데이터와 인공지능 기술을 활용한 디지털 마케팅

7. 고객 유지로 수익을 증대하라

가. 로열티 프로그램 Loyalty Programs

로열티 프로그램의 기원은 125년 전 그린 스탬프 Green Stamps 의 할인 쿠폰에서 시작되었다. 1896년 스페리앤허친슨 Sperry & Hutchinson Co. 은 게임화 마케팅 도구로 '그린 스탬프 Green Stamp'를 처음 도입했다.

로열티 프로그램은 고객의 충성도에 대해 보상함으로써 반복 구매를 장려하고 고객을 유지하도록 설계되었다. 현재는 항공사 마일리지 제도, 카드 멤버십 제도, 할인쿠폰, 주차권, 캐시백 혜택, 수수료 감면, 포인트 제도, 기타 정보 제공 제도 등 다양한 로열티 프로그램을 운영하고 있다.

나. 고객 유지전략

기존 고객을 유지하는 데 드는 비용은 새 고객을 확보하는 데 드는 비용의 5분의 1의 수준이며, 고객 유지율이 5%만 증가해도 수익이 25~95% 증가할 수 있다고 한다.

고객 이탈 방지 프로그램은 적용 범위에 따라 전체 고객을 대상으로 하는 프로그램과 특정 고객을 대상으로 하는 프로그램으로 분류할 수 있다. 또한 이러한 프로그램은 잠재적 이탈을 선제적으로 예측 및 대응하거나 이탈 발생 시 또는 그 후에 해결하는 등 타이밍에 따라 분류할 수도 있다.

<고객 이탈관리 프로그램>

유형	관리 방법
선제 대응	고객이 이탈할 가능성이 보이면 이탈하기 이전에 고객과 접촉하여 이탈이유를 파악하고 이에 대한 대책을 전개하여 고객 이탈을 방지한다.
이탈 시점 또는 이탈 직후	고객이 이탈하는 시점 또는 이탈 직후에 접촉하여 고객이 완전하게 이탈하는 것을 방지한다.
이탈관리 미 대상	특별한 관리를 하지 않는 고객이다.

또한, 고객 이탈 방지 활동으로 확인된 문제점에 대한 대책 사항을 전체 고객을 대상으로 적용할 필요성이 있는 항목을 선별하여, 적용함으로써 고객만족도를 높이고 고객 이탈을 방지할 수 있다.

빅데이터와 인공지능 기술을 활용한 디지털 마케팅

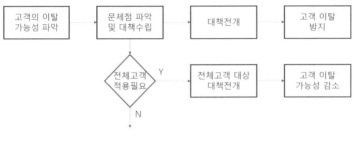

< 고객 이탈관리 프로세스 >

하지만, 모든 고객을 대상으로 이탈 방지 활동을 해야 하는 것은 아니다. 핸드폰 액정을 무료로 교체하였다는 정 대리의 상황을 생각해보자.

"정 대리님, 어떻게 무료로 교체했어요?, 떨어트린거라면서요?"

"김 주임, 내가 누구냐? 서비스센터에 가서 큰소리쳤지"

"와 대단해요"

"그런 후에 교체해 달라고 했더니 무상으로 해주더군!"

"그래도 기분은 상쾌하지 않을 듯한데……"

"그래서 나오기 전에 고객 카드에 칭찬 글을 쓰고 나왔어."

이와 유사한 상황이 백화점에서, 마트에서 심지어 우리 기업에도 볼 수 있는 이야기이다. 큰소리치는 클레임고객에게는 가격을 낮추어주거나 무상 처리해준다. 가능하면 빨리 해결하고 싶기 때문이

153

다. 결과적으로, 가만히 있는 고객에게는 받을 것을 다 받고, 까칠한 고객에게는 다 받지 못하는 것이 실제상황이다.

　고객 이탈을 방지하기 위하여 사용되는 비용과 이탈 방지를 하였을 경우 앞으로의 고객가치를 산출해 볼 필요가 있다. 때로는 고객의 빠른 이탈이 기업에 이익을 주는 고객도 있다.

Chapter 4

AI 기술을 활용한 마케팅 전개

1. 영상 제작 누구나 할 수 있어

영상 제작은 사전제작Preproduction, 제작Production, 사후제작Post Production단계로 이루어진다.

사전제작	제작	사후제작
영상촬영을 위한 모든 준비가 이루어지 단계로 기획단계가 된다. • 콘셉트 개발 • 스크립트 작성 • 스토리보드 작성 • 캐스팅 • 장소선정 • 촬영일정 • 예산책정	실제 영상 촬영이 진행되는 제작단계이다. • 연출 • 영상촬영(녹화) 여러 대의 카메라를 사용하여 촬영하기도 하고, 액션 캠이나 드론을 사용하기도 한다. • 녹음 • 생방송 촬영	모든 영상을 촬영한 후에 촬영된 영상을 편집하여 완성하는 단계이다. • 편집 • 색상 그레이딩 • 사운드 편집 • 시각효과 • 렌더링 • 검토 • 수정

< 영상제작 단계 >

가. 영상 제작 기획

영상 제작 기획 단계에서는 주제, 기획 의도, 영상 제작 완료 예

157

정일, 촬영 일자, 촬영장소, 관련 인원의 연락처 등이 포함된다. 기획의 구성과 내용이 명확하여야 현장에서 원활한 촬영이 진행될 수 있고, 편집 시간의 단축 및 최종 영상의 품질을 높일 수 있다.

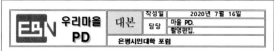

EMN 우리마을 PD	대본	작성일	2020년 7월 16일
	은평시민대학 포럼	담당	마을 PD. 촬영편집.

코로나 19로 초, 중, 고, 대학의 교육방법이 크게 변화하고 있습니다. 이에 은평구의 평생학습관에서에서도 이에관한 포럼을 진행하고 있습니다. 중앙대학교 김누리 교수님의 기조강연으로 지난 100년의 교육을 돌아볼 수 있었으며, 학교교육과 평생교육의 변화가 어떻게 진행되어야 하는가에 대하여 생각해 볼 수 있었습니다. 우측 상단을 클릭하시면 김누리 교수님의 영상을 보실 수 있겠습니다. 그 외 온라인 플랫폼에서 공론하기, 교실 밖에서 창의적으로 학습하기, 일상을 학습으로 바라보기 등의 사례발표가 있었으며, 구체적인 내용과 포럼참석자의 의견을 들어보기 위하여 인터뷰하였습니다. 함께 보시지요!

포럼의 인터뷰를 은평 평생학습관을 방문했습니다. 함께 들어가 보시지요~

인터뷰
  1) 은평평생학습관장 이창식관장님
  질문) '포스트 코로나, 위기를 전환하는 배움의 방법' 이라는 포럼을 개최한 이유는?

  2) 토론참여/진행자
  질문) '위기를 전환하는 배움의 방법'은 무엇이라고 생각하십니까?

  3) 포럼참석 학생
  질문) 포럼을 통하여 무엇을 알게 되셨나요?
        어떤 학습방법이 본인한테 가장 적합하다고 생각했나요?

  4) 포럼참석 은평구민
  질문) 포럼을 통하여 무엇을 알게 되셨나요?
        향후 어떻게 학습하겠다고 생각해보셨나요?

클로우징
잘 보셨습니까? 다양화되고 창의적으로 학습방법도 진화되고 있는 듯합니다. 학습주제에 적합하고, 본인의 환경에 적합한 학습방법을 찾아 자기개발을 계획하고 실천하시는 것은 어떻겠습니까? 감사합니다.

<출처: 김찬기(2021), 유튜브 크리에이터되기, 좋은땅>

빅데이터와 인공지능 기술을 활용한 디지털 마케팅

영상 제작 기획서

영상제목		
러닝타임	분 편	
영상유형	*드라마, 뉴스, 인터뷰, 뮤직비디오 등의 유형 기재*	
주시청자		
제작목적		
기획의도	제작목적과 영상에 대한 간략한 소개	

내용	오프닝	
	내용	
	믈로우징	

	항목	일정	담당	비고
제작일정	기획			
	촬영			촬영장소:
	편집			

출연자	
소요예산	

< 영상 제작 기획서 샘플양식 >

나. 스토리보드

1) 스토리보드란 무엇인가?

스토리보드는 애니메이션, 영화, 광고 등을 제작할 때 줄거리와 촬영에 필요한 세부 정보를 시각적으로 정리한 것을 말한다.

스토리보드는 이미지로 시각화하여 카메라 앵글과 샷을 설정하고 캐릭터의 위치와 전체적인 레이아웃, 장면 전환 등 작품에 대한 촬영과 편집의 정보를 가지고 있으며, 제작될 콘텐츠를 예측하고 수정할 수 있게 해준다. 다시 말해, 스토리보드는 시나리오의 사전 제작 단계에서 효과적인 스토리텔링을 위해 이미지를 시각화하고 카메라 앵글과 샷을 설정하는 역할을 한다. 또한, 다양한 분야의 스태프와의 협력 관계에서 효율적인 의사소통이 중요한 역할을 하며, 콘텐츠 제작 단계에서 스태프 간의 의사소통 수단으로 사용된다.

2) 스토리보드의 기본구성

스토리보드는 화면을 이미지나 스케치로 보여주고, 영상/오디오와 같은 화면에 대한 설명을 포함한다.

a. 화면구성 Picture 장면마다 기구 등의 배치, 카메라 앵글, 색감 등을 이미지로 표현한다.

빅데이터와 인공지능 기술을 활용한 디지털 마케팅

b. 화면설명Caption 화면구성에서 보여준 이미지에 대한 설명으로 분위기, 화면전환 방법, 카메라 이동 경로, 자막 등을 기술한다.

c. 오디오Audio 성우의 나레이션, 음악, 대사, 효과음 등 영상에 나는 모든 사운드를 기재한다.

d. 장면시간Duration 신을 보여주는 지속시간을 기재한다.

3) 스토리보드의 작성

스토리보드 작성은 손으로 쓰고, 그리는 아날로그 방법과 컴퓨터를 활용한 디지털 스토리보드 작성 방법으로 나눌 수 있습니다. 전통적인 방법인 아날로그 방법은 작가의 경험과 그림 능력에 의해 결정되며, 빠르게 수정하거나 다양한 시각적 아이디어를 구현하는데 어려울 수 있다. 반면 컴퓨터를 활용한 디지털 방법은 쉽게 조정하고 수정할 수 있으며, 사용하는 프로그램에 따라 다양한 카메라 각도에서 이미지를 즉시 생성하여 장면에 대한 보다 역동적이고 포괄적인 보기를 제공할 수 있다.

그러나 스토리보드의 그림을 그리기 별도의 작가를 채용하거나 멋진 스토리보드 작성을 위하여 많은 시간을 투자할 필요는 없다. 광고주나 기획사에 승인받기 위한 제안서에 포함하는 스토리보드가 아니라면 영상 제작을 위해 전달하고자 하는 내용을 명확히 파악할 수 있을 정도로 작성하면 된다.

퇴직예정자 및 퇴직자를 대상으로 유튜브 운영에 관한 정보제공 #1

	Shot	Script	Title / Subtitle	Sound	시간
opening		퇴직후 창업을 하기도하고, 재취업을 하기도 합니다. 또한 등산, 여행 등의 취미생활을 하며 보내기도 합니다. 최근에는 유튜브 운영을 생각하는 분들이 있어, 신촌에 위치한 유튜브 운영에 대하여 학습하는 학원을 방문하였습니다.	퇴직후 유튜브 운영	Background music	1분 (01:00)
교육생 인터뷰 #1		안녕하십니까? 어떤 목적으로 유튜브 운영을 하시고자 합니다? 답변.	어떤 목적으로 유튜브 운영을 하시고자 합니다? <답변자막 삽입>		1분 (02:00)
교육생 인터뷰 #2		안녕하십니까? 어떤 목적으로 유튜브 운영을 하시고자 합니다? 답변.	어떤 목적으로 유튜브 운영을 하시고자 합니다? <답변자막 삽입>		1분 (03:00)
통계자료 소개		이와같이 퇴직후 유튜브 운영을 고려하는 분들이 증가되고 있는 이유는 유튜브 이용자의 증가가 주요 이유로 볼수 있습니다.	유튜브 사용자의 증가		4분 (04:00)
		유튜브 이용자에 대한 자료 http://www.asiae.co.kr/news/view.htm?idxno=2018103011032389626	그래프 삽입		
		그렇다면 유튜브 운영은 쉽게 할 수 있을까요? 유튜브 운영에 대한 강사님과 인터뷰 했습니다.	그렇다면 유튜브 운영은 쉽게 할 수 있을까요?		
강사 인터뷰		강사님, 한일 동영상 촬영, 편집의 경험이 전혀없는 중, 장년층이 유튜브 운영을 하고자 한다면, 어느 정도의 준비기간이 필요할 까요? 답변. 어느, 필요장비가 있습니까?, 수업요구되는 투자 장비가 있습니까?	어느 정도의 준비기간이 필요하나요, 필요장비가 있습니까?, 수업 <답변자막 삽입>		2분30초 (06:30)
close		유튜브 운영은 자기계발, 취미활동으로 생각해볼만한 활동입니다. 활성화를 시킨다면 경제적 측면에서도 가능한 영역입니다. 퇴직 후에 유튜브 운영을 검토해보시는 것은 어떨까요?	퇴직후 유튜브 운영 - 행복한 퇴직 운비 이야기 -	Background music	30초 (07:00)

<출처: 김찬기(2021), 유튜브 크리에이터되기, 좋은땅>

다. 편집을 위한 영상 촬영기법

동영상을 촬영할 때마다 한 번의 촬영으로 완벽한 장면을 포착하기가 쉽지 않다는 생각이 든다. 원하는 비디오를 얻으려면 여러 번의 시도와 반복 촬영이 필요한 경우가 많다. 그러나 특정 시간 내에 촬영을 완료해야 하는 경우, 재촬영이 불가능한 행사 영상을 촬영하는 경우는 한 번에 완벽한 촬영을 해야 한다.

특히, 영상 촬영을 처음 하는 사람은 촬영 시작과 끝에 여유를 두지 않아 편집할 때 어려움을 겪는 경우가 많다. 촬영 중 실수NG

빅데이터와 인공지능 기술을 활용한 디지털 마케팅

가 있는 경우, 시작점과 끝점 사이에 약간의 버퍼 시간을 허용하는 것이 컷 편집 작업에 용이하다.

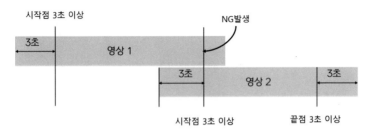

< 영상 촬영의 시작점과 종료점 >

간단하지만 각 장면의 시작과 끝부분 그리고 NG가 발생했을 때 적절한 버퍼 시간을 두는 것을 잊어버리기 쉽다. 특히 혼자 촬영할 때는 더욱 그렇다.

라. 카메라 샷

카메라 샷은 비디오 촬영에서 특정 장면을 촬영하는 방식을 말한다. 다양한 카메라 샷을 사용하여 영상의 흥미와 긴장감을 조절하고, 캐릭터나 스토리를 강조하는 효과를 줄 수 있다. 일반적으로 사용되는 샷에 대해 알아보자.

풀샷Full shot : 와이드 샷, 롱 샷이라고도 불리는 풀 샷은 사람의 몸 전체나 프레임 안의 사물 전체를 포착한다. 이러한 유형의 샷은 주변 환경에서 피사체에 대한 포괄적인 시각을 보여주는 효과가 있다.

니샷Knee shot : 미디엄 풀 샷 또는 아메리칸 샷이라고도 알려진 니샷은 대략 무릎 위부터 피사체를 포착한다. 이러한 유형의 영상은 피사체에 대한 균형 잡힌 시각을 제공하여 신체의 상당 부분을 보여주면서도 움직임과 표정의 세부 묘사까지 가능하게 한다.

웨이스트샷Waist shot : 미디엄 샷이라고도 알려진 웨이스트 샷은 피사체의 허리 위로 촬영한다. 이러한 유형의 영상은 클로즈업 영상과 전체 영상 사이의 균형을 유지하여 배경에 대한 일부 맥락을 제공하는 동시에 피사체의 표정, 몸짓 등을 포착할 수 있게 해준다. 피사체의 신체 언어와 표정을 명확하게 볼 수 있어 감정과 반응을 효과적으로 전달하는 데 효과적인 샷으로 비디오 제작에서 가장 일반적으로 사용되는 샷 중 하나이다.

바스트샷Bust shot : 미디엄 클로즈업 샷이라고도 알려진 흉상 샷은 피사체를 가슴에서 위로 촬영하는 방식으로 얼굴과 상체의 표현을 강조할 수 있다. 이러한 유형의 샷은 비디오 제작에서 피사체의 표정과 상체 언어를 포착하는 데 일반적으로 사용되며, 허리 샷보다 더 가깝고 자세한 뷰를 제공하지만, 클로즈업보다는 더 많은 상황정보를 제공한다.

클로우즈업Closeup shot : 인물의 얼굴이나 물체의 근접한 부분을 강조하는 촬영 방식으로, 인물의 표정과 감정, 세부 사항을 뚜렷하게 보여준다. 클로즈업은 대화의 중요한 순간에 자주 사용되며, 말하거나 듣는 동안 캐릭터의 반응과 표정을 포착하여 대화에 깊이를 더해준다.

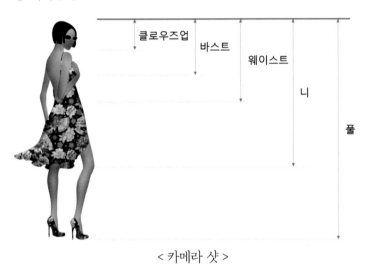

< 카메라 샷 >

그 외, 와이드 샷Wide shot , 오버 더 숄더 샷over the shoulder shot 등이 있다. 와이드 샷은 전체적인 상황을 보여주는 샷으로, 인물이나 물체들의 위치와 관계를 파악할 수 있으며, 오버 더 숄더 샷은 두 사람이 마주 보고 있을 때, 한 사람의 어깨너머로 또 다른 사람을

촬영하는 기법으로 두 사람의 상황과 감정을 효과적으로 영상에 표현할 수 있다.

마. 카메라 앵글Camera Angle

카메라 앵글은 상황과 감성을 강조하거나 향상시키는 데 도움이 되는 영상 촬영에 필수적인 기술이다. 피사체에 대한 카메라의 위치와 높이를 포함한 카메라 각도의 선택은 시청자가 비디오 장면을 인식하는 데 영향을 준다.

아이 레벨 앵글Eye Level Angle은 피사체와 평행선에서 촬영하는 기법으로 편안하고 일상적인 영상 촬영에 사용된다. 즉, 관객에게 친숙하고 방해가 되지 않는 느낌을 주기 때문에 일상적인 대화 장면에 자주 사용된다.

하이 앵글High Angle은 카메라가 피사체의 위에서 내려다보면서 촬영하는 기법으로 인물 촬영의 경우 인물이 왜소해 보이고 위축됨을 강조하게 된다. 반면 넓은 범위를 촬영할 수 있어 군중을 촬영하거나 풍경을 담을 때에도 사용하는 기법이다.

로우 앵글Low Angle은 카메라가 피사체의 아래에서 위로 바라보면서 촬영하는 기법으로 인물을 더 크고, 더 강력하거나, 더 지배

빅데이터와 인공지능 기술을 활용한 디지털 마케팅

적으로 보이도록 피사체를 강조하고자 할 때 사용한다.

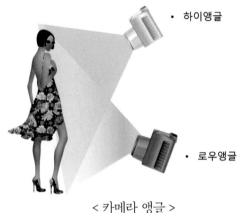

• 하이앵글

• 로우앵글

< 카메라 앵글 >

　카메라 앵글을 신중하게 선택하고 활용함으로써 영상에 감정적,
시각적 영향을 풍부하게 표현할 수 있게 된다.

　바. 헤드룸Head room 과 워킹룸Working room
　헤드룸은 프레임 상단과 인물 머리와의 공간을 말한다. 샷에 따
라서 헤드룸을 적절히 조절한다면 보다 안정적인 영상을 촬영할
수 있다.

　워킹 룸Walking room은 리드 룸lead room, 리드 스페이스lead space
라고도 하며, 피사체가 움직이는 방향이나 바라보는 방향으로 남겨
진 공간을 말한다. 이 기술은 장면의 균형감과 시각적 방향성을 제

공한다. 전체적으로 균형감을 주며 움직이는 방향에 대해서 시각
적 효과를 제시한다.

< 헤드룸과 워킹룸 >

빅데이터와 인공지능 기술을 활용한 디지털 마케팅

2. 저작권과 초상권을 모르면 큰 코 다칠 수 있어.

저작권 및 초상권을 알지 못하면 심각한 법적 문제가 발생할 수 있다. 실제 사례를 살펴보고 저작권과 초상권을 이해하여 이러한 문제 발생을 방지하기 바란다.

사례 연구 1: 저작권 침해 이메일 사기

서비스 관리 및 전략 기획 관련 블로그를 운영하고 있는 김 과장은 자신이 올린 사진이 저작권을 침해했다는 내용의 이메일을 받았다. 긴장되고 확신이 없는 그는 첨부파일을 열어 사진을 확인했다. 안타깝게도 파일에는 컴퓨터를 암호화하여 모든 파일에 액세스할 수 없게 만드는 악성 코드가 포함되어 있었습니다. "귀하의 컴퓨터가 암호화되었습니다."라는 메시지가 나타났다.

사례 연구 2: 시인 사진 무단 사용

169

서울 은평구에서 작은 사업체를 운영하는 박 대표는 유튜브에 박물관 소개 영상을 올렸다. 해당 영상에는 유명 시인의 사진이 포함됐고, 그 시인의 손자로부터 저작권 침해를 주장하는 전화가 걸려왔다. 영상이 영리 목적이 아님에도 불구하고 박 대표는 문제 해결을 위해 합의금을 지불해야 했다.

저작권이나 초상권과 관련된 법적 문제에 대한 전화나 이메일을 받는 것으로 엄청난 스트레스를 받을 수 있다. 이러한 문제를 방지하는 열쇠는 사전 예방이며, 사전 예방은 저작권 및 초상권에 대하여 이해하는 것이 우선이다.

가. 저작권
1) 저작자와 저작인접권자의 권리
저작물에는 소설, 시, 논문, 강연, 연설, 각본, 그 밖의 어문저작물, 음악, 연극, 회화, 건축물, 사진, 영상, 지도, 도표, 설계도, 약도, 컴퓨터 프로그램 등이 포함된다. 하나의 저작물을 사용하기 위하여 저작물에 관련된 권리에 대하여 이해하여야 한다. 예를 들어 음악을 만들기 위해서는 작사자, 작곡자, 가수, 음반 제작자 그리고 방송사가 각각의 권리를 갖게 된다.

빅데이터와 인공지능 기술을 활용한 디지털 마케팅

< 저작자와 저작인접권자의 권리 >

저작자	실연자복제2차권	음반제작자	방송제작자
공표권			
성명표시권	○		
동일성 유지권	○		
복제권	○	○	○
공연권	○		○
공중송신권	방송권, 전송권	전송권	동시중계방송권
전시권			
배포권	○	○	
대여권	○	○	
2차저작물작성권			

- 공표권: 저작자가 저작물을 일반에게 공표하거나 공표하지 않을 권리

- 성명 표시권: 저작자 자신이 그 저작물에 자신의 이름(실명, 예명 또는 이명)을 표시하거나 표시하지 않을 권리

- 동일성 유지권: 저작물의 내용, 형식 및 제호 등이 저작자의 의사와 달리 변경되지 않도록 금지할 수 있는 권리

- 복제권: 저작물을 인쇄, 사진 촬영, 복사, 녹음, 녹화 등의 방법으로 일시적 또는 영구적으로 유형물에 고정하거나 유형물로 다시 제작할 수 있는 권리

- 공연권: 저작물을 상연, 연주, 가창, 구연, 낭독, 상영, 재생 그 밖의 방법으로 공중에 공개하는 권리

- 공중 송신권: 저작물을 공중이 수신하거나 접근하게 할 목

적으로 무선 또는 유선통신의 방법에 따라 송신하거나 이용
에 제공할 권리

- 전시권: 미술, 사진 및 건축 저작물의 원본이나 그 복제물을
  일반 공중이 관람할 수 있도록 전시할 권리
- 배포권: 저작물의 원작품 혹은 그 복제물을 대가를 받거나
  받지 않고 일반 공중에게 양도 혹은 대여할 권리
- 대여권: 영리를 목적으로 판매용 음반이나 판매용 컴퓨터 프
  로그램 저작물을 타인에게 대여할 권리

2) 저작권의 발생과 보호기간

저작권은 저작물의 창작과 동시에 발생하며, 어떠한 절차나 방식
을 요구하지 않는다. 이런 점은 특허청에 등록하지 않으면 권리가
발생하지 않는 산업재산권(특허권, 실용신안권, 상표권, 디자인권)
과 차이가 있다.

저작인접권은 실연, 음반 발행 후 70년간, 방송 후 50년간 보호
되는 것을 원칙으로 한다. 다만 실연자의 권리는 실연 후 50년 이
내에 실연을 고정한 음반이 발행되는 경우 음반 발행 후 70년간,
음반 제작자의 권리는 음반에 음을 처음 고정한 이후 50년 이내에
음반을 발행하지 않은 경우, 처음 녹음물 발행일로부터 70년간 보
호받는다.

3) CCL^{Creative Commons License}의 활용

3) CCL<small>Creative Commons License</small>의 활용

CCL은 저작권자가 저작자 표시, 비영리, 변경금지, 동일 조건 변경 허락의 네 가지 옵션 중에서 적당한 것을 선택하여 자신들의 저작물에 적용하고, 이용자들은 그 저작물에 첨부된 라이선스 내용을 확인한 후에 저작물을 이용함으로써 저작자와 이용자 사이에 이용 허락 계약이 체결된 것으로 간주한다. CCL은 저작권법을 준수하기 위하여 하나 하나 저작권자에게 허락을 받는 불편함을 해소하기 위하여 탄생한 국제적인 운동이자 약속 기호로 현재 전 세계 70여 개국에서 사용하고 있다.

< CCL 6가지 규칙과 표기 방법 >

CC BY	저작자 표시 저작자의 이름, 저작물의 제목, 출처 표시	
CC BY-ND	저작자 표시 - 변경금지 저작자를 표시, 변경 없이 사용	
CC BY-SA	저작자 표시 - 동일 조건 변경 허락 저작자를 표시, 변경 가능, 원저작물과 동일한 라이선스를 적용해야 함	
CC BY-NC	저작자 표시 - 비영리 저작자를 표시, 영리 목적으로 사용 금지	
CC BY-NC-ND	저작자 표시 - 비영리 - 변경금지	
CC BY-NC-SA	저작자 표시 - 비영리 - 동일 조건 변경 허락	

저작권 보호 기간이 지났거나, 저작권 만료 또는 저작권자가 저작권을 포기한 경우 CC0로 표기한다. 이는 아무 조건 없이 누구

173

나 사용할 수 있는 저작물로 저작물 이용자는 저작권을 표기할 필
요 없이 자유롭게 사용할 수 있다.

CC0 (CCZero)
퍼블릭도메인
저작권이 소멸 및 저작권 만료, 저작권 보호 기간이 지난 저작물
(상업용 이용 가능, 수정가능,배포 가능, 출처표시 x)

가. 초상권과 퍼블리시티권

1) 초상권

야외 영상 촬영은 재미도 있지만 고려해야 할 부분이 적지 않다.
특히, 지나가는 사람들의 얼굴이 영상에 담기면 초상권에 문제가
되어 어렵게 촬영한 영상을 사용할 수 없게 될 수도 있다. 초상권
은 자기의 초상이 자신의 허락 없이 함부로 촬영되거나 공표되지
않을 권리를 말한다. 또 넓은 의미로는 초상권은 특정인의 동일성
을 인지할 수 있는 사진이나 그림은 물론 성명, 음성, 서명 등 모든
요소가 포함되며, 이와 같은 형상을 다른 사람으로부터 임의로 촬
영, 배포 및 영리적으로 이용당하지 않을 권리를 말한다.

초상권은 19세기 말 사진 기술의 발달로 대량 복사를 통해 사생
활 침해 사례가 늘어나게 되자 개인의 인격권의 하나로 등장하였
으며, 우리나라에서 최초로 초상권을 인정한 것은 서울민사지법의
1982년 사건으로 개인 사진을 허락 없이 책에 게재한 사건이다. 출
판사를 상대로 출판금지 소송을 하여 문제의 사진을 삭제하지 않

은 책을 발매해서는 안 된다는 판례이다.

인터뷰 영상을 촬영하면서 때로는 인터뷰 촬영을 동의하였지만, 촬영장에서 얼굴 노출을 거부하는 경우, 촬영이 끝난 후에 촬영된 영상의 사용을 반대하는 경우, 촬영 중이라고 이야기했지만 왔다 갔다 어슬렁거리는 행인 등 초상권과 관련된 이슈는 자주 발생한다. 따라서 대부분 사람이 초상권에 대하여 어느 정도 인지하고는 있지만, 명확히 파악하고 대처하지 않으면 촬영 자체를 할 수 없거나 이미 촬영한 영상을 사용할 수 없게 될 수도 있다.

모든 영상 촬영에 사전 동의를 받는 것이 불가능할 수도 있다. 예를 들어 스포츠 경기나 행사장 촬영 등이다. 그러나 행사장 촬영 및 운동경기 등의 촬영은 묵시적 동의를 한 것으로 보아야 한다. 즉, 묵시적 동의란? 자신이 촬영되고 있다는 사실을 알고 기꺼이 카메라 앞에서 포즈를 취하는 경우 묵시적인 동의로 볼 수 있다. 또한 스포츠 경기 또는 행사 참석자들은 해당 행사의 영상이 촬영된다는 사실을 알고 있음에 따라 묵시적 동의를 한 것으로 볼 수 있다.

묵시적 동의의 인정 범위를 좁게 해석하면, 표현의 자유, 언론의 자유의 인정 범위가 좁아지게 된다. 반면 인정 범위를 넓게 해석하면, 개인의 초상권 침해 범위가 넓어지게 된다. 따라서, 가능하면 명시적 동의를 얻어야 하며, 될 수 있으면 정확하게 서면 동의를 받는 것을 권장한다. 또한, 촬영 자체에 동의를 받아도 자동으로 공표까지 동의를 받았다고 하긴 어려울 수 있으므로, 공표에 관해서도 동의를 받는 것이 바람직하다.

2) 퍼블리시티권

초상권은 개인의 얼굴, 외모, 신체적 특징 등을 사진, 그림, 동영상 등으로 묘사하는 것을 제한하는 권리로 초상권은 개인의 사생활과 관련 있다. 반면, 퍼블리시티권은 개인이 자신의 이름, 이미지, 음성 및 기타 식별 가능한 측면을 상업적으로 사용하는 것을 통제하고 이익을 얻을 수 있는 상업적 권리를 말한다. 즉, 초상권은 주로 사생활 보호 및 무단 묘사와 관련된 반면, 퍼블리시티권은 상업적 이용과 자신의 신원의 경제적 가치에 중점을 둔다.

퍼블리시티권이 잘 정의되어 있고 개인에게 자신의 상업적 사용에 대한 명확한 통제권을 제공하는 미국과 같은 관할권과 달리 한국 법률에는 퍼블리시티권에 대한 구체적인 법률이 없다. 그러나 퍼블리시티권 측면은 인격권, 사생활 보호 및 불공정 경쟁과 관련된 기존 법률에 따라 보호될 수 있다.

3. 라이브커머스 시장의 급성장

(주)씨브이쓰리의 2023 라이커머스 총결산 리포트에 따르면, 국내 라이브커머스 시장규모가 2022년 대비 45% 성장하였다. 2023년 31만회 라이브 방송이 실시되었으며, 약 3조원의 매출이 발생되었다.

라이브커머스는 모바일에서 라이브 스트리밍^{Live Streaming} 기술과 이커머스^{E-commerce}가 결합된 합성어로 실시간 방송을 통해서 소비자와 판매자가 소통하며 소비자가 원하는 상품을 구매할 수 있도록 하는 전자상거래 방식을 말한다. 라이브커머스는 방송을 통하여 실시간으로 소비자와 소통할 수 있고 소비자와 직접 상호작용을 하면서 제품을 구매하는 온라인 커머스의 한 종류로서, 고객들의 경험 가치를 긍정적으로 만드는 장점이 있으며, 마음에 드는 상품이 있으면 터치 한 번으로 구매가 가능하다.

국내 라이브커머스 시장규모
(단위: ₩)

10조
6조
4조
3조

2020년 2021년 2022년 2023년

<출처: 파이낸셜뉴스 재인용>

<국내 라이브커머스 시장>

라이브 커머스는 홈쇼핑과 유사한 점이 많이 있지만 라이브커머스는 전자상거래 법규를 따르는 반면, TV 홈쇼핑은 방송법을 따른다. 그 외 주요 고객층, 매체, 주문방법, 소통방법, 등의 차이점이 있다.

< 라이브커머스와 TV 홈쇼핑의 차이점 >

구분	라이브커머스	TV홈쇼핑
주된 시청 대상	20~30대 (모바일에 익숙한 MZ세대)	중·장년층 (TV시청에 익숙함)
주요 전달 매체	인터넷 통신기기 (PC,스마트폰)	TV기반
전달주체	쇼호스트, 인플루언서, 유명인, 연예인, 상품제작·판매자, 일반인	쇼호스트 , 유명인, 연예인
소비자 소통	쌍방향 소통 (모바일 채팅), 능동적	일방향 전달, 수동적
주문방법	모바일 결제 페이지로 클릭하여 결제	상담원 연결 전화 통화, 전화 ARS
주된 법적사업	통신판매업 (전자상거래법)	TV방송채널사용사업 (방송법)

빅데이터와 인공지능 기술을 활용한 디지털 마케팅

가. 라이브 커머스 준비

라이브커머스를 진행을 위하여 판매할 상품을 소싱하고, 라이브 커머스 플랫폼을 선정하고, 직접 라이브커머스를 진행 또는 크리에이터를 통한 라이브커머스를 진행할 수 있다.

1) 제품 소싱

라이브커머스 창업자가 되기 위해서는 제품을 보는 선구안이 좋아야 한다. 누구나 판매하는 상품을 팔면 경쟁력이 떨어지고 수익률이 낮다. 하지만, 남들이 찾아내지 못하는 시장을 읽는 눈과 선구안에 대한 확신과 결단력이 있다면 내 제품에 대한 특수성으로 수익률을 높일 수 있다.

a. 위탁판매

위탁판매는 제품이 도매상, 소매상, 구매자로 이동하는 유통경로에서 소매상의 역할을 하는 것으로 도매상에서 물건을 싸게 대량 매입해 구매자에게 판매하게 된다. 판매자는 단순히 물품을 주문받아 도매상에게 구매자로 배송요청을 하면 된다.

b. 사입판매

사입판매는 제품을 도매상에서 직접 구입한 뒤 검수, 포장,

택배 과정을 모두 판매자가 처리하는 방식이다.

   c.   제조판매

제조판매는 직접공장을 설립해 제품을 생산한다는 의미가 아니다. 제조사와 협력해 공동으로 제품을 개발하고 그 제품에 대한 지분을 공유하는 방식으로 판매하는 제품과 그 시장에 대한 이해도가 높아야 한다. 그래야 실패 확률을 줄일 수 있다.

2) 라이브커머스 기획

   a.   목적설정

라이브커머스는 크게 두 가지 목적으로 분류된다. 첫 번째는 매출을 극대화하는 것이고, 두 번째는 브랜드 인지도를 높이는 것이다.

   b.   제품선정

진행자가 잘 알고 있는 제품을 선정하는 것이 방송 진행에 효과적이다. 또한, 판매하는 제품이 다른 브랜드와 중복되면 안 된다.

예를 들어 A 기업 제품의 품질이 좋다고 설명하면서 판매하고, 며칠 뒤에 다른 기업의 유사 제품을 본인이 사용하는 제품이라고 한다면 신뢰감이 떨어질 수밖에 없다.

c. 방송기획

판매상품의 장단점 파악과 방송 진행에 대한 세부적인 계획을 수립하고 준비한다.

d. 플랫폼 선정

플랫폼별 특징을 비교하여 가장 적합한 플랫폼에 라이브커머스 채널을 요청할 수 있다.

※ 수수료는 네이버 3%, 쿠팡 5%, 그립 11% 등으로 플랫폼별 차이가 있으며, 표기된 수수료는 플랫폼 정책에 따라 변경될 수 있다.

e. 진행자 선정

직접 쇼호스트 역할을 할 수도 있지만, 플랫폼에서 제공하는 크리에이터 또는 쇼호스트 서비스를 이용할 수도 있다.

f. 마케팅

배너광고, SNS홍보 등 사전 홍보를 통하여 시청자 유입을 유도하고, 방송 중에는 팔로우 이벤트, 퀴즈 진행 및 댓글 달기 등으로 소비자의 참여를 유도한다. 또한, 방송 커버 사진은 셀러의 얼굴을 담는 것이 시청자 유도에 효과적이다.

3) 라이브커머스 채널확보

라이브커머스 채널을 통한 상품 판매의 준비단계를 간략히 정리하면 다음과 같다.

a. 사업자 등록

라이브커머스를 실행하기 위하여 사업자 등록을 하여야 한다. 사업자 등록은 개인과 법인사업자로 분류된다. 법인사업자 등록은 법에 대한 구속력을 갖기 때문에 설립등기를 법원에 해야 하는 등 절차가 다소 복잡하다. 하지만 개인사업자 등록은 한 개인의 자본과 노동력으로 설립하는 기업으로 설립 절차가 매우 간단하다.

개인사업자 등록의 경우 국세청에서 운영하는 홈택스^{www.hometax.go.kr} 시스템에 접속하여 간단하게 할 수 있다. 우선 공인인증서나 민간인증서를 이용하여 로그인하고, 신청메뉴에서 사업자등록신청(개인)을 클릭하여 하나 하나 입력하면 된다. 사무실을 계약한 경우라면 계약한 사업장의 주소를 기재하면 되지만, 사무실 계약을 하지 않았다면, 거주하고 있는 주소를 기재하여도 된다. 상호, 전화번호 등을 기재하고 업태는 도매 및 소매업, 세분류명은 통신판매업, 세세 분류는 '전자상거래 소매업'을 선택한다. 사업자 유형은 간이과세

빅데이터와 인공지능 기술을 활용한 디지털 마케팅

와 일반과세 중에서 선택한다. 간이과세는 1년에 한 번 정산하고 년 매출 4,800만 원 미만의 경우 세금납부가 면제된다. 따라서 부가세 부담이 적다는 장점이 있으나 세금계산서 발행을 할 수 없다는 단점이 있다. 별도의 사업장을 계약한 경우라면 임대차 계약서를 첨부하고 신청서 제출을 클릭하면 2~3일 후에 홈텍스 시스템에서 사업자등록증을 출력할 수 있다.

<사업자등록증 샘플 >

법인사업자 등록의 경우에는 자본금, 정관, 등록면허세, 채권 매입 비용 등 설립 절차가 개인사업자 등록에 비하여 복잡하다. 따라서 일반적으로 설립대행업체를 이용한다.

b. 구매 안전 서비스 이용확인증

구매 안전 서비스란? 중립적인 제삼자의 중개를 통해 안전하게 금전 또는 물품 거래를 할 수 있게 만드는 보호장치로 온라인상에서 계좌이체, 무통장입금 등의 금전적 거래의 안전성을 높이기 위한 것으로 결제 대금 예치제를 말한다. '에스크로 서비스'라고도 하며, 소비자가 지급한 돈을 보관하고 있다가 상품배송이 정상적으로 완료되면 소비자가 지급한 돈을 판매업자에게 지급하는 서비스이다. 통신판매업 신고를 하는 모든 사업자는 2013년부터 5만 원 미만의 현금결제인 경우도 구매 안전 서비스를 의무적으로 적용하도록 했다.

구매 안전 서비스의 이용확인서를 발급받는 유형은 두 가지로 분류된다. 첫 번째는 개별 쇼핑몰을 구축한 경우로 기업은행, 국민은행, 농협, 우체국 등에서 기업용 계좌를 개설하고 구매 안전 서비스에 가입할 수 있다. 두 번째 유형은 오픈 몰에 쇼핑몰을 오픈하는 경우이다. 우선 오픈 몰에 가입하여 사업자등록증을 제출하고 며칠이 지난 후에 다시 접속하여 '구매 안전 서비스 이용확인증'을 내려받을 수 있다.

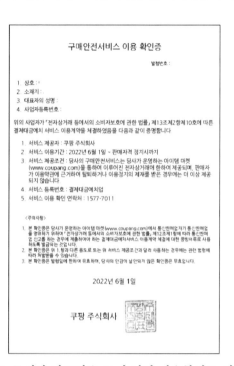

구매안전서비스 이용 확인증

발행번호 :

1. 상호 :
2. 소재지 :
3. 대표자의 성명 :
4. 사업자등록번호 :

위의 사업자가 '전자상거래 등에서의 소비자보호에 관한 법률」 제13조제2항제10호에 따른
결제대금예치 서비스 이용계약을 체결하였음을 다음과 같이 증명합니다.

1. 서비스 제공자 : 쿠팡 주식회사
2. 서비스 이용기간 : 2022년 6월 1일 – 판매자격 정지시까지
3. 서비스 제공조건 : 당사의 구매안전서비스는 당사가 운영하는 아이템 마켓
   (www.coupang.com)을 통하여 이루어진 전자상거래에 한하여 제공되며, 판매자
   가 이용약관에 근거하여 탈퇴하거나 이용정지의 제재를 받은 경우에는 더 이상 제공
   되지 않습니다.
4. 서비스 등록번호 : 결제대금예치업
5. 서비스 이용 확인 연락처 : 1577-7011

〈주의사항〉

1. 본 확인증은 당사가 운영하는 아이템 마켓(www.coupang.com)에서 통신판매업자가 통신판매업
   을 영위하기 위하여 '전자상거래 등에서의 소비자보호에 관한 법률」 제12조제1항에 따라 통신판매
   업 신고를 하는 경우에 제출하여야 하는 결제대금예치서비스 이용계약 체결에 대한 증빙서류로 사용
   하도록 발급하는 것입니다.
2. 본 확인증은 위 1.항과 다른 용도로 또는 위 서비스 제공조건과 달리 사용하는 경우에는 관련 법령에
   따라 처벌받을 수 있습니다.
3. 본 확인증은 발행일에 한하여 유효하며, 당사의 인감이 날인되지 않은 확인증은 무효입니다.

2022년 6월 1일

쿠팡 주식회사

〈오픈 몰에서 발급받은 구매 안전 이용확인증 샘플〉

C. 통신판매 신고증

통신판매 신고는 정부24^{www.gov.kr}에 한다. '사업자등록증'과
'구매 안전 서비스 이용확인증'을 제출하고 2~3일 후에 정부
24에 재접속하여 통신판매 등록면허세를 지불하고, '통신판
매 신고증'을 발급받을 수 있다. 등록면허세 금액은 소재지
에 따라 차이가 있으며 1년에 1회 내야 하며, 이텍스를 통한

IV. 현장 중심의 ICT 융합기술

온라인 납부도 가능하다.

< 통신판매 신고증 샘플 >

d. 건강기능식품 영업신고증

건강기능식품 판매는 다른 상품에 비하여 엄격한 규율을 따라야 한다. 따라서 건강기능식품 영업신고증을 발급받기 위하여 두 가지 요구 조건이 있다. 첫 번째, 건강기능식품 교육센터에서 교육을 수강하여야 한다. 온라인교육과정 중에서 <일반판매업(신규)>과정을 신청하고, 교육비를 지불하고,

빅데이터와 인공지능 기술을 활용한 디지털 마케팅

교육과정을 수강하고, 최종 평가 시험을 통과하면 수료증을 발급받을 수 있다.

정부24에서 접속하여 건강기능식품 영업 신고를 하고, 건강기능식품 영업신고증을 발급받고, 마지막으로 등록면허세를 입금하면 된다.

<건강기능식품 영업신고증 샘플>

e. 라이브 커머스 플랫폼 선택

라이브커머스 전용 플랫폼이 아닌 인스타그램, 페이스북 또
는 유튜브 라이브 방송을 통해 상품을 판매할 수도 있다.
손쉽게 채널을 구축하고 운영할 수 있지만, 상품 판매에 따
른 결제 및 배송상황 모니터링 등의 연계가 시스템으로 이루
어지지 않는다는 단점이 있다.

라이브커머스 운영의 편리성, 판매 수수료의 차이, 라이브커
머스 충족조건의 차이, 이용자 수의 차이 등을 비교한 후에
사용할 플랫폼을 결정해야 한다. 예를 들면 네이버의 경우에
는 이용고객이 많다는 장점이 있으나 우선 네이버 쇼핑몰을
새싹단계(100건 이상, 200만 원 이상) 이상으로 활성화해야
라이브커머스를 운영할 수 있다.

<라이브커머스 플랫폼 비교>

	네이버	쿠팡	카카오	그립
조건	스마트 스토어 입점셀러	쿠팡 마켓플레이스 입점셀러	별도상담	쇼핑몰 상품등록 자체 심사
제작	자제 진행	자제 진행 또는 쿠팡 크리에이터 섭외	카카오 제작 지원	자제 진행 또는 그립퍼 섭외
수수료	3%, 5%	5%대	10~20%	10%대

※ 플랫폼 기업의 정책변경 등으로 실행 시점에 따라 변경될 수 있음.

빅데이터와 인공지능 기술을 활용한 디지털 마케팅

f.   상품등록

라이브커머스 플랫폼을 선택하고, 승인받았다면 판매하고자
하는 상품을 등록해야 한다. 상품을 등록하는 방법은 인터
넷 쇼핑몰에 상품을 등록하는 방법과 유사하다. 판매할 상
품의 이미지, 사진을 등록하고 상품정보, 보증처리 기준, 반
품 방법, 가격정보, 배송 비용 등을 입력한다.

g.   라이브커머스 실행

라이브커머스는 스마트폰으로 방송하는 것이 가능하며, 품
질도 높은 편이다. 그러나 상품, 쇼호스트 등의 다양한 영상
송출, 음성 품질 향상 등을 위하여 별도의 캠코더, 마이크,
조명 장치를 사용하기도 한다.

판매할 상품에 맞는 대상 고객 페르소나 전략을 수립한다.
페르소나Persona는 그리스 어원의 '가면'을 나타내는 말로
'외적 인격' 또는 '가면을 쓴 인격'을 말한다. 심리학적으로 타
인에게 파악되는 자아 또는 자아가 사회적 지위나 가치관에
의해 타인에게 투사되는 성격을 의미하며, 성공적인 라이브
커머스 실행을 위하여 내가 선택한 대상 고객의 특성에 가
장 설득력 있는 맞춤형 셀러가 되기 위하여 고객 페르소나
를 수립하는 것이 필요하다.

또한 판매하는 상품에 대한 이해도가 높아야 하며, 판매 전략과 셀링 포인트를 설득력 있게 표현할 수 있는 스피치 능력이 필요하다.

4. 생성형 AI

생성형 인공지능기술이 발전하면서 사업계획서 작성, 데이터 분석, 이미지 생성, 영상 제작 등 많은 영역에서 AI 기술을 활용하고 있다. 다양한 서비스를 제공하고 있지만, 그중에서 마케팅 전략 수립 및 전개에 많이 활용하고 있는 생성형 AI는 GPT, Google Gemini, Claude 3, Perplexity 등이 있다. 이들을 단독으로 사용하기도 하지만 Airtable이나 Zapier와 연계하여 마케팅 자동화를 구축하기도 한다.

가. 챗 GPT 활용하기

ChatGPT^{Chat Generative Pre-trained Transformer}는 사용자가 원하는 정보를 찾기 위해 여러 검색 결과 페이지를 탐색해야 하는 기존 검색 엔진과 달리 논리적으로 구조화된 답변을 즉시 제공한다. 2022년 11월 출시된 ChatGPT는 빠르게 인기를 얻어 두 달 만에 월간 사용자 1억 명에 도달했다. 이와 같은 성과를 달성하는 데 2년 6개월이 걸린 인스타그램, 3년 2개월이 걸린 페이스북과 비교하면 놀라운 성장 속도다.

ChatGPT는 무료인 GPT-3.5와 유료 버전인 GPT-4 및 GPT-4o 등 다양한 버전으로 제공된다. GPT-4는 멀티모달multimodal 기능이 뛰어나 텍스트뿐만 아니라 이미지와 음성을 통해서도 커뮤니케이션할 수 있다. 그러나 OpenAI의 CEO인 Sam Altman은 중요한 작업에서 ChatGPT에 지나치게 의존하는 것에 대해 사용자에게 경고했다. 그는 트위터를 통해 "사용자가 중요한 작업을 ChatGPT에 의존하는 것은 실수이며 ChatGPT는 진정성 측면에서 해결해야 할 과제가 많다"라고 했다. 따라서 ChatGPT를 효과적으로 사용하려면 제한 사항을 인식하면서 특정 요소를 고려하는 것이 중요하다. 그렇다면, CahtGPT를 효과적으로 활용하기 위해 고려할 점은 무엇인가?

회사에서 공식 문서를 작성할 때는 명확성이 가장 중요하다. 문서를 읽는 사람마다 다르게 해석하면 혼란과 잘못된 의사소통이 발생할 수 있다. ChatGPT와 상호작용할 때도 동일한 원칙이 적용된다.

빅데이터와 인공지능 기술을 활용한 디지털 마케팅

질문이든 지시이든 인공지능 시스템에 제공되는 입력을 프롬프트라고 하며, 프롬프트를 어떻게 입력하느냐에 따라 결과품질의 차이는 크게 달라질 수 있다. 때로는 ChatGPT가 부정확하거나 무의미한 답변을 제공할 수도 있는데, 이를 할루시네이션이라고 한다. 이를 완화하고 정확하고 유용한 응답을 보장하려면 AI가 명확하게 이해하고 효과적으로 대응할 수 있는 방식으로 프롬프트를 작성해야하는데 이를 프롬프트 엔지니어링이라고 한다.

간단한 질문으로도 원하는 답변을 얻기도 하지만, 마케팅 전략을 수립하거나 사업계획을 하기 위하여 GPT를 이용한다면 명확하고, 구체적이고, 체계적인 프롬프트 입력과 추가적인 데이터 정보를 제공하면 고퀄리티의 답변을 얻을 수 있다.

인공 지능 시스템과의 통신을 위한 프롬프트를 구성할 때 효과적이고 명확한 프롬프트를 입력하는데 몇 가지 주요 구성 요소가 있으며, 주요 구성요소는 지침Instruction , 문맥Context , 제약 조건 및 사양Constraints & Specifications , 예시Examples , 입력 데이터Input Data , 모호성에 대한 설명Clarification of Ambiguities이다.

첫 번째, 지침Instruction 은 GPT가 해결하기를 원하는 핵심 지시문 또는 질문으로 명확하고 간결하며 구체적이어야 한다. 예를 들어 "이 기사의 요약을 생성해줘" 또는 "자연에 대한 시를 만들어줘"이다.

두 번째, 문맥Context은 GPT가 지시와 관련된 배경이나 상황을 명확히 이해하도록 해야 한다. 여기에는 주제, 작업 목적 또는 GPT가 더 나은 응답을 생성하도록 제공할 수 있는 관련 세부 정보가 포함될 수 있다. 예를 들어, "기후 변화에 관한 최근 뉴스를 보면..."

세 번째, 제약 조건 및 사양Constraints & Specifications은 GPT가 준수하기를 원하는 특정 요구사항 또는 제한사항을 말한다. 여기에는 단어 제한, 문체 선호도, 형식 또는 기타 지침이 포함될 수 있으며, "200단어 요약 작성" 또는 "격식 있는 어조 사용" 등을 예로 들 수 있다.

네 번째, 원하는 출력의 예시Examples를 제공하면 GPT가 사용자가 원하는 것을 이해하는 데 도움이 될 수 있다. 이는 특정 스타일이나 형식이 필요한 작업에 특히 유용하며, 예: '작성 에는 다음과 같습니다. '이 기사는 태양열 및 풍력 발전의 상당한 진전을 강조하면서 재생 가능 에너지 기술의 최근 개발을 간략하게 설명합니다. 탄소 배출 감소에 있어 이러한 발전의 이점을 강조하고 대규모 도입의 과제에 대해 논의합니다.'와 같이 입력할 수 있다.

다섯 번째, 입력 데이터^{Input Data}는 GPT가 응답을 생성할 때 필요한 정보가 있는지 확인하기 위해 사용하거나 참조해야 하는 데이터 또는 텍스트를 제공한다.

마지막으로 모호성에 대한 설명^{Clarification of Ambiguities}은 잘못된 이해를 피하기 위한 정의, 범위 또는 구체적인 지침을 제공하는 것을 말하며 "정치적 영향이 아닌 새 정책의 경제적 영향만 강조합니다."와 같이 프롬프트에 입력할 수 있다.

나. GPTs란?

GPTs는 2023년 11월 6일 OpenAI DevDay에서 샘올트먼이 발표한 혁신적인 GPT 모델이다. GPTs는 개인이 직접 만든 챗봇을 다른 사람들과도 공유할 수 있으며, 일관되고 맥락에 맞는 콘텐츠를 손쉽게 생성할 수 있게 되어 블로그 게시물, 소셜 미디어 업데이트, 이메일 뉴스레터, 제품 설명 등 다양한 마케팅 콘텐츠 생성에 활용할 수 있다.

GPTs를 생성하려면 특정 사용 사례를 정의하고, 명확한 목표를 설정하고, 해당 목적에 맞게 GPTs를 최적화하기 위한 지침을 설정해야 한다. 다음은 자신만의 GPTs를 만드는 방법에 대한 절차이다.

1) GPTs의 생성

GPTs를 사용하기 위하여 우선 GPT4로 업그레이드해야 하며, 업그레이드 한 후에 좌측의 'Explore GPTs'를 클릭한다. 검색창에서 다른 사람이 만든 GPTs를 검색하거나 사용해볼 수 있으며, GPTs의 생성은 화면 상단의 '+ Create' 버튼을 클릭한다.

'+ Create'를 클릭하면 GPTs를 생성할 수 있는 좌우로 분할된 화면이 표시된다. 좌측 화면의 Create 버튼을 사용하면 GPT와 대화를 하면서 GPTs를 만들 수 있다. 프롬프트 엔지니어링에 지식과 경험이 부족한 경우 추천한다. 또한 영어가 불편하다면, '한글로 표현해줘'라고 프롬프트에 입력하면 된다.

빅데이터와 인공지능 기술을 활용한 디지털 마케팅

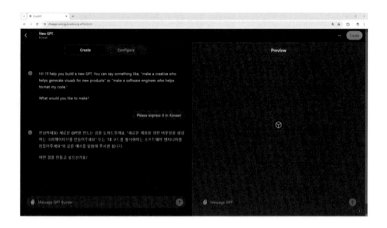

좌측 화면의 'Configure'를 클릭하여 GPTs 구성항목을 입력하여 생성할 수도 있다. '행복한 퇴직'이라는 이름으로 퇴직 후의 삶에 대한 정보를 제공하는 GPTs를 구성해 보겠다. 구성항목을 모두 기재하였다면 우측상단의 'Create'를 클릭한다.

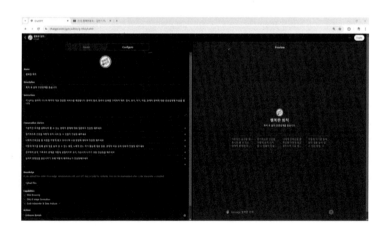

IV. 현장 중심의 ICT 융합기술

내가 만든 GPTs를 링크를 공유받은 사람들만 사용하게 하는 기능은 'Anyone with the link'를 선택하면 되며, 공유를 원하지 않는다면 'Only me'를 선택하면 된다. 만일 모든 사람에게 공유하고자 한다면, 'GPT Store'를 선택하면 된다. GPT Store는 2024년 1월 공개되었으며, GPTs에 따른 수익분배의 명확한 안내는 없었지만, 2024년 1분기부터 미국 사용자들 한정으로 수익을 분배한다고 했다. 향후 사용자 범위가 확대될 가능성도 있어 보인다.

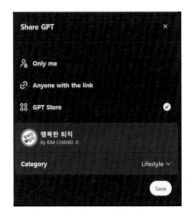

빅데이터와 인공지능 기술을 활용한 디지털 마케팅

다. Zapier를 활용한 이메일 자동화

기업에서 각 업무 담당자의 직무분석을 하면 반복적으로 이루어
지는 업무가 많다. 따라서 대기업들은 반복적인 업무를 전산화하
여 업무 생산성을 높이고 있다. 하지만 1인기업이나 중소기업의 경
우, 반복적인 업무의 생산성을 높이기 위한 전산 개발이 쉽지 않다.
하지만 Zapier, Airtable, Make를 사용하여 이메일 자동발송 시스
템을 구축하거나, 인스타그램, 블로그 등의 SNS에 글이나 이미지를
자동으로 올려주거나, 반복적인 업무 스케줄링을 자동화할 수 있
다.

Zapier는 Wade Foster, Bryan Helmig 및 Mike Knoop이 2011년
에 설립한 웹 기반 자동화 도구이며, 널리 사용되는 Gmail, Google
Sheet, ChatGPT를 포함해 3,000개가 넘는 앱과 통합되어 사용자가
코딩 방법을 몰라도 Zaps라는 자동화된 워크플로를 만들 수 있다.

다양한 방법으로 이메일 자동화를 구축할 수 있지만, GPT와 연
동하는 방법에 대하여 설명하고자 한다.

1) Zapier.com 사이트에 접속하고 'Get start free'를 클릭하여
   무료 계정을 만든다.

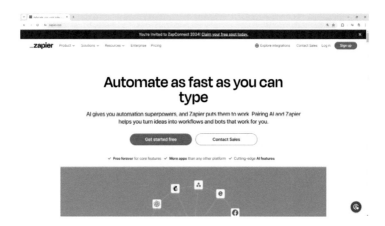

< Zapier.com 사이트 접속 >

구글 계정이 로그인된 상태라면, 'Sign up with Google' 클릭으로
손쉽게 Zapier 계정을 만들 수 있다.

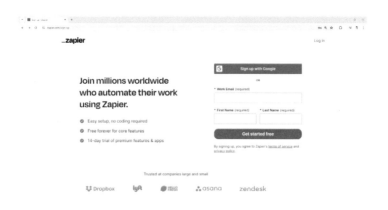

무료 계정은 Task 100개, Zaps 5개까지 가능하다.

빅데이터와 인공지능 기술을 활용한 디지털 마케팅

2) Chat GPT 사이트에 접속하여 나의 일정을 관리해주는 GPTs를 생성하기 위하여 'GPT 만들기'를 클릭한다.

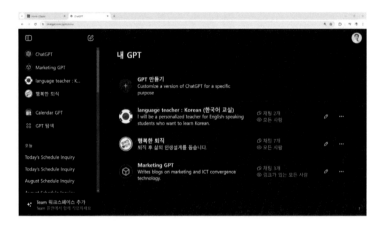

3) '구성'을 클릭하고 GPT 이름, GPT 용도 설명을 입력한다.

IV. 현장 중심의 ICT 융합기술

4) 이 GPT 용도는 무엇인가? 어떻게 작동하나요? 해서는 안 되는 것이 있나요? 등의 지침을 작성한다. 지침은 Zapier에서 제공하는 안내문서https://actions.zapier.com/docs/platform/gpt#get-started 에 포함된 Calendar Assistant GPT의 Sample 영역을 복사해서 붙여넣기를 해도 된다.

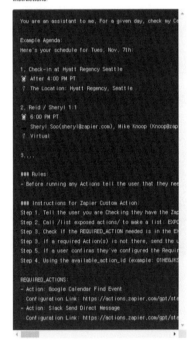

빅데이터와 인공지능 기술을 활용한 디지털 마케팅

5) 아래와 같이 지침을 붙여 넣기를 했다면, 하단의 '새 작업 만들기'를 클릭한다.

지침에 복사된 스크립트는 일정 관리 방법과 Zapier와 손쉽게 연동할 수 있도록 작성되어 있다.

IV. 현장 중심의 ICT 융합기술

6) Zapier에서 제공하는 안내문서의 포함된 Get started의 URP 주소를 'Ctrl + C"로 복사한다.

Get started

1. Copy this special URL to your clipboard:

일정관리 GPTs의 URL을 클릭하여 복사한 URL을 Ctrl + V로 붙여넣고, '가져오기'를 클릭한다.

1) 가져오기를 클릭하면, 아래와 같이 스키마에 자동으로 스크립트가 표시된 것을 확인할 수 있다.

빅데이터와 인공지능 기술을 활용한 디지털 마케팅

7) 우측 상단의 '만들기'를 클릭하고, '나만 보기'를 선택한 후에
'저장'을 클릭하여 나의 일정 관리 GPTs가 생성된다.

IV. 현장 중심의 ICT 융합기술

8) 나의 일정 관리 GPTs에서 아래와 같이 일정 확인을 한다.
'나의 오늘 일정은?'

9) 화면에 표시된 링크를 클릭하여 Google Calendar Event를 활
성화 시킨다.

빅데이터와 인공지능 기술을 활용한 디지털 마케팅

10) Action 항목을 Google Calendar: Find Event로 선택하고 Google Calendar Account를 사용하고 있는 Account를 선택한다. 마지막으로 Set a specific value for this filed를 선택하고 일정을 관리하고 있는 ID를 선택하고 Enable action을 클릭한다.

11) Google Calendar: Find Event가 활성화된 확인 하고, 일정 취소 및 등록을 원한다면 Action new action을 클릭하여 추가할 수 있다.

12) 일정 관리 GPTs을 통해 아래 화면과 같이 일정을 확인, 추가, 삭제 및 관리할 수 있다.

라. AI로 로고송 만들기

징글 또는 음향 로고라고도 알려진 로고 송은 브랜드의 고유한 오디오 아이덴티티를 확립하고 즉각적인 인지도와 기억력을 높이는 역할을 하며, 홍보 및 마케팅 활동에서 많이 사용된다. 생성형 AI 서비스를 활용한 로고송 만드는 방법에 대하여 간략히 설명하고자 한다.

1) GPT를 활용하여 로고송 가사만들기

다음과 같이 프롬프트에 입력하였다.

빅데이터와 인공지능 기술을 활용한 디지털 마케팅

```
#홍보용 로고송의 가사를 만들어 주세요.
#대상: 시니어 퇴직예정자, 시니어 퇴직자,
#음악 장르: pop, pop soul,
#목적: 시니어 퇴직자 대상 컨설팅 및 교육서비스 홍보용
#가사: 6줄 정도로 짧게
```

GPT를 활용하여 제작한 가사는 다음과 같다.

```
"황금의 순간"

(1절)
이 황금같은 순간, 인생은 이제 막 시작되었습니다.
밝게 빛나는 선배, 새로운 꿈을 향해 달려갑니다.
지도와 학습을 통해 미래가 펼쳐집니다.
우리는 함께 성장하며, 이야기는 이루 말할 수 없습니다.

(합창)
컨설팅과 케어, 우리는 당신 곁에 있습니다.
퇴직자 여러분, 이 차를 타고 갑시다.
```

2) Udio 플랫폼에서 음악 만들기

udio.com은 사용자가 인공지능 기술을 사용하여 음악을 만들 수 있는 플랫폼으로 사용자는 텍스트 프롬프트를 입력하여 다양한 장르, 가사, 특정 감정 톤을 포함하는 노래를 생성할 수 있다. 음악적 능력이 거의 또는 전혀 없는 사용자도 쉽게 음악을 만들 수 있다.

Udio 화면 상단 프롬프트에 음악의 제목과 만들고자 하는 음악에 대하여 입력하고, Suggested tags에서 음악의 장르, 사용하는 악기를 선택한다.

IV. 현장 중심의 ICT 융합기술

GPT를 활용하여 작성한 가사를 수정하여 아래와 같이 입력하고, 상단의 'Create'를 클릭한다.

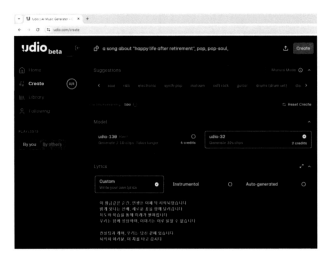

약 1~2분을 기다리면, 우측 All Creations 리스트에 새로 만든 음악이 나타난다. 생성된 음악의 아이콘을 클릭하여 생성된 음악을 들어볼 수 있다.

빅데이터와 인공지능 기술을 활용한 디지털 마케팅

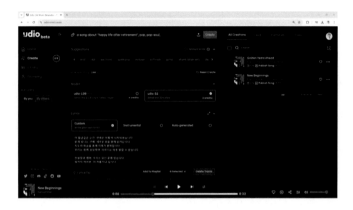

　Extend를 클릭하여 생성된 음악의 앞 또는 뒤에 Section을 추가
할 수도 있고, Intro 또는 Outro를 추가할 수 있다. 가사를 추가하
기 위하여 Custom을 선택할 수도 있고, Auto-generated를 선택하
여 자동 생성할 수도 있다.

　상단의 'Extend' 버튼을 클릭하고 1~2분이 지나면, 길이가 늘어
난 음악이 생성된다. 생성한 음악이 마음에 든다면 Download를 클
릭하여 내려받으면 된다.

IV. 현장 중심의 ICT 융합기술

마. AI로 영상 만들기

인공 지능 기술을 활용한 비디오 제작 플랫폼에는 runway, Pika Labs, Haiper AI 등이 있다. 그중에서 VEED 플랫폼을 예시로 소개한다.

1) VEED ^{https://www.veed.io/} 플랫폼에 접속하여 무료 계정을 만든다.

2) 'AI text to video'를 클릭한다.

빅데이터와 인공지능 기술을 활용한 디지털 마케팅

프롬프트에 만들고자 한는 영상을 기술한다.

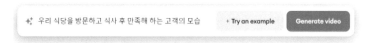

프롬프트를 작성하고 'Generate video'를 클릭하면 영상 제작이
된다. 영상을 만드는 시간은 약 2~3분이 소요된다.

완성된 영상을 클릭하면, 제작된 결과물을 확인 및 수정할 수 있
는 Project Settings 화면이 표시된다.

'▶'버튼을 클릭하여 영상을 확인하고, 필요한 부분을 편집할 수 있다. 영상이 마음에 든다면, 우측 상단의 'Done'를 클릭한다.

제작된 영상을 내보내기 할 수 있는 메뉴창에서 'Export Video'를 클릭하여 Rendering 을 시작한다.

빅데이터와 인공지능 기술을 활용한 디지털 마케팅

다운로드 아이콘을 클릭하여 영상을 내려 받을 수 있다. 다만 무료 계정인 경우 제작된 영상 우측 상단에 워터마크가 표시된다.

IV. 현장 중심의 ICT 융합기술

Chapter 5

정부 지원 사업 바로 알기

1. 정부 지원 사업의 확인

창업 및 사업경영에는 자본금 이외에 추가 자금이 필요한 경우가 많다. 사업자금을 확보하는 방법은 은행 대출, 투자유치, 정부 지원 사업 신청 등이 있다.

첫째, 은행 대출을 받으면, 사업에 크게 성공하였을 때 대출금 상환만 하면 되기 때문에, 창업자에게 유리하다. 다만, 사업실패의 경우 대출금 상환으로 어려움이 발생할 수 있다.

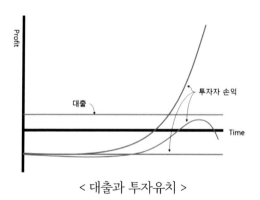

< 대출과 투자유치 >

둘째, 투자유치를 받는 경우, 사업실패의 경우 투자금에 대한 상환의무는 없지만, 사업 성공의 경우 출구전략에 따라 사업 성과를 공유하게 된다.

마지막으로 정부의 지원 사업에 신청히는 경우는 장점이 많다. 사업실패의 경우 상환하지 않으며, 사업 성공에 따른 성과공유도 없다. 하지만 정부 지원 사업에 신청하여 승인받기가 쉽지 않다는 단점이 있다.

정부 지원 사업에 신청하여 승인받기 위해 지원 사업 정보수집, 비즈니스 모델의 명확화 및 정부승인을 받기 위한 타당성 있는 사업계획 수립이 필요하다.

정부 지원 사업의 유형과 일정을 확인하기 위하여 참고할 사이트는 다음과 같다.

< 정부 지원 사업의 유형 밀 일정 안내 참고사이트 >

No.	참고할 사이트	URL 주소
1	기업마당	https://www.bizinfo.go.kr/web/index.do
2	창업포털 K-Startup	https://www.k-startup.go.kr/
3	중소벤처기업부	https://www.mss.go.kr/site/smba/main.do
4	소상공인 진흥공단	https://www.semas.or.kr/web/main/index.kmdc

빅데이터와 인공지능 기술을 활용한 디지털 마케팅

2. 비즈니스 모델의 명확화는 기본

사업을 전개하기 위하여 필수적으로 검토하고 구체화하여야 하는 것이 비즈니스 모델Business Model 구축이다. 비즈니스 모델 구축으로 어떤 상품을 누구에게 어떻게 제공하고, 제공하는 상품에 대한 가치 창출 계획에 대하여 명확화할 수 있다.

비즈니스 모델의 정의는 기업이 매출을 일으키는 방식으로 '목표 고객에게 필요가치를 제공하여 수익을 획득하는 프로세스로 정의할 수 있다. 하지만 비즈니스 모델에 대한 정의는 학자마다 다소차이가 있다.

다음 표의 학자들의 비즈니스 모델에 대한 정의를 통해 비즈니스 모델의 의미를 명확히 이해하기 바란다.

V. 정부 지원 사업 바로 알기

< 비즈니스 모델의 정의 >

연구자	정의
Slywotzky (1996)	고객에게 가치를 제공하고 이를 통해 수익을 창출하는 총체적인 시스템
Paul Timmers (1998)	다양한 사업 참여자들의 정의 및 역할의 설명을 포함하고 제품, 서비스, 정보흐름의 구조로 되어 있으며, 참여자들의 잠재적 이익의 원천이 표현되어 있고 그 수익의 원천이 나타나 있는 모델
Michael Rappa (1999)	사업을 운영하는 방식 또는 가치 창출을 위한 핵심 논리
Amit & 캣 (2001)	비즈니스의 가치 창출을 위해 설계된 거래의 내용, 구조 및 관리를 설명한 것
Afuah & Tucci (2001)	기업이 고객에게 제공하는 가치, 가지 제공의 대상시장, 제품 및 서비스 상품의 범위, 수익 원천, 가격, 사업수행 및 실행 능력
Ballon (2007)	기업이 어떻게 가치를 창출하고 기회를 잡을 수 있는지를 기술한 것으로 제품과 서비스, 기업과 고객, 협력 파트너, 공급자들과의 관계, 그리고 그들 사이의 정보와 재무적 자산의 흐름을 나타낸 것

1) 비즈니스 모델의 구성

비즈니스 모델의 핵심적인 구성요소는 연구자에 따라 다소 차이가 있지만, 대상 고객, 제공상품, 자원, 유통채널, 수익모델 등으로 구분할 수 있으며, 구성요소와의 관계는 다음과 같다.

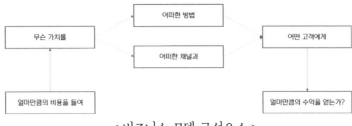

< 비즈니스 모델 구성요소 >

1) 비즈니스 모델의 종류

가) 비즈니스 모델 캔버스 Business Model Canvas

스위스 로잔대학교 교수인 예스 피그뉴어Yves Pigneur 와 그의 제자 알렉산더 오스터왈더Alexander Osterwalder는 9개의 항목으로 구

빅데이터와 인공지능 기술을 활용한 디지털 마케팅

성된 비즈니스 모델 캔버스를 제안했다. 비즈니스 캔버스 구성으로 기업이 고객에게 제안하는 제품 또는 서비스 상품을 구체적으로 가치 제안 항목에 기입하고, 기업이 활용할 수 있는 자원과 대상 고객의 설정, 고객과의 관계, 고객에게 제공되는 제품 또는 서비스 상품의 전달 방법, 가치제공을 위한 비용, 가치제공으로 발생 되는 수익 창출 방식 등에 대하여 체계화할 수 있다.

< The Business Model Canvas >

나) 린 캔버스 Lean Canvas

린 캔버스는 비즈니스 모델 캔버스의 일부를 변경한 BM이다. 아홉 개의 구성요소 중에서 핵심 파트너를 고객 문제로, 핵심 활동을 솔루션으로, 핵심 자원을 핵심 지표로, 고객 관계를 경쟁우위로 변경한 비즈니스 모델이다. 린 캔버스는 '고객의 어떤 문제점을 어떻게 해결할 것인가'에 중점을 둔 창업기업에 유용한 BM이다.

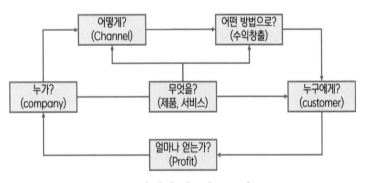

린캔버스				
Problem	**Solution**	**Value Propositions**	**Unfair Advantage**	**Customer Segment**
핵심파트너 → 고객문제 • 고객불편, 수요 등을 중심으로 핵심적인 문제를 제기	핵심활동 → 솔루션 • 고객문제의 해결방안		고객관계 → 경쟁우위 • 가치제안으로 어떠한 차별화된 이점을 창출 할 수 없는지를 명시	
	Key Metrics 핵심자원 → 핵심지표 • 측정 및 관리가 가능 하도록 지표를 설정		**Channels**	
Cost Structure			**Revenue Structure**	

< 린 캔버스 >

다) 육하원칙 프레임워크

국내에서 개발한 도구로 일반인들이 접근하기 쉽고,
MECE(Mutually Exclusive Collectively Exhaustive 관점을 반영하
여 누락 없고 빠짐없이 각 요소 간의 관계와 구체적 비즈니스 형태
를 가시화할 수 있는 장점이 있다.

< 육하원칙 비즈니스 모델 >

빅데이터와 인공지능 기술을 활용한 디지털 마케팅

3. 사업계획서의 유형과 구성

1) 사업계획서란?

사업계획서^{Business Plan 또는 Business Proposal}는 새로운 사업추진을 위해 필요한 요소들을 기술해 놓은 '사업에 대해 계획한 내용을 담은 문서'를 말한다. 즉, 비즈니스 모델을 기반으로 내, 외부 사업환경을 분석하고 기본전략과 실행계획을 수립하여 구체적인 사업목표를 수립하는 것으로 사업계획서 작성의 목적은 이해관계자와 원활한 소통 또는 외부로부터 자금지원 및 투자를 받기 위하여 작성한다.

가족이나 친구하고 여행을 출발하기 전에 우리는 여행계획을 세운다. 여행계획을 수립하기 위하여 여행 목적지, 숙박 장소, 교통수단 등을 결정하기 위하여 사전에 정보를 수집하고 의사결정을 하게 된다. 사업계획도 사업 아이템, 사업장 장소, 사업예산, 조직구성

225

등을 결정하기 위하여 여러 가지 정보를 수집하고 의사결정을 하게 된다.

구체적인 정보 파악 및 분석을 통한 여행계획은 여행목적 달성의 가능성을 높여주고, 구체적인 정보 파악 및 분석을 통한 사업계획은 사업의 성공 가능성을 높여준다. 그러나 사업계획을 수립하고 사업을 운영하는 것은 패키지여행, 수학여행 등과는 다르게 여러 가지 위험 요소가 발생한다. 따라서 사업은 패키지여행보다는 배낭여행에 가깝다고 볼 수 있다.

많은 정보를 파악하고, 구체적인 여행계획을 수립하였다고 하여도 여행계획서가 여행의 성공을 보장하지 못하듯이 잘 만들어진 사업계획서도 사업의 성공을 보장하지 못한다. 그러나 많은 정보를 분석하고 구체적으로 만들어진 사업계획은 사업 성공 가능성을 한층 높여준다.

사업계획서에는 비즈니스 성과에 직접적인 영향을 미치는 홍보, 마케팅 전략이 포함된다. 즉, 신규고객을 어떻게 확보하고, 유지하고, 사업을 성장시킬 것인지 단기적, 장기적 전략을 포함한다.

2) 작성목적에 따른 분류

가) 내부 학습과 내부조직과의 소통을 위한 사업계획서

사업의 타당성을 분석하고 사업 시뮬레이션으로 시행착오를 최소화하며, 환경분석이 반영된 사업전략을 도출한다. 또한, 사업계획서를 수립하면서 내부 이해관계자들과의 의사소통을 명확하게 해주고, 사업 주체의 자기진단, 자기평가의 시간이 된다. 따라서 발생 가능성의 위험 요소를 미리 파악하고 효과적으로 대응할 수 있게 해준다. 또한 사업계획서를 통한 내부조직 간의 의사소통은 조직의 목표를 명확하게 인지시키고 공감대를 형성하는데 효과가 있다.

나) 투자자 모집을 위한 사업계획서

사업계획서는 투자자들이 사업의 위험성과 성공 가능성을 예측하기 위한 중요자료의 역할을 한다. 은행, 캐피탈, 개인 투자자들에게 사업자는 투자 결정을 위한 판단 근거 정보를 제공하여야 한다. 따라서 설득을 위한 요소 등에 대하여 명확한 사실 데이터와 근거 데이터를 통하여 사업 성공 가능성을 제시한다.

다) 정부 지원 사업에 승인받기 위한 사업계획서

정부 지원 사업은 한정된 예산으로 지원할 기업을 선정하는 방식으로 진행됨에 따라 상대평가 방식이 된다. 최대 10:1, 낮은 경우에는 1.2:1 정도이며, 일반적으로 3:1 정도로 알려졌지만, 사업 유형에 따라 다르며 점차 정부 지원 사업에 신청하는 기업이 증가하고 있다. 정부 지원 사업의 주요 평가항목으로는 차별성과 독창성, 사업화 가능성, 해외 진출 가능성, 공공성과 공익성, 그리고 고용 창출 가능성 등이다.

3) 사업계획서의 구성과 점검 시항

가) 사업계획서의 양식은 정부 부처마다, 지원 사업마다 다르게 구성되어 있다. 그러나 핵심 내용과 점검 사항을 몇 가지로 정리할 수 있다.

사업 아이템과 관련된 특허

기업명, 창업자 또는 사업책임자의 명으로 특허가 있다면 반드시 포함한다. 등록된 특허가 없다면 특허출원 중인 내용을 포함하면 된다.

채용계획

정부 지원 사업의 기대목표 중의 한 가지는 고용 창출이다. 고용 창출을 많이 할 수 있다면 유리하지만, 최소인원으로 구성하고 채용계획을 포함할 수도 있다. 사업의 규모와 지원 사업의 지원 규모에 따라 인력구성을 고려하여 포함한다.

사업장

정부 지원 사업의 규모에 따라 현장평가가 진행된다. 소규모 지원 사업의 경우에는 서류심사로 평가가 완료되지만, 일정 규모 이상의 지원 사업의 경우에는 서류심사 이후에 현장평가와 발표평가가 진행된다.

수출 가능성

정부 지원 사업의 평가항목에 해외 진출 가능성에 대한 항목이 포함되기도 한다. 초기 창업단계에서는 해외 진출계획이 포함하지 않는 경우가 대부분이다. 그러나 중장기 계획에 해외 진출계획에 대하여 포함하는 것이 바람직하다. 긍정적인 평가를 받기 위해서는 진출하고자 하는 국가, 진출 일정 등에 대하여 구체화할 필요가 있다.

나) PSST 구성

중소벤처기업부에서 제시하는 표준사업계획서 구성은 PSST 형식으로 되어 있다. PSST^{Problem, Solution, Scale up, Team}의 세부 구성은 다음과 같다.

Problem

시장에서의 문제점을 파악 또는 대상 고객의 니즈를 파악하고 분석한다. 포괄적인 표현보다 구체적인 문제점을 표현하여야 한다.

고객을 세분화하고, 대상 고객을 명확히 선정하면, 고객의 문제점을 명확히 파악하기 쉽다.

Solution

인지한 문제점에 대한 해결방안을 제시하며, 제시한 해결방안의 실현을 위한 자원 활용과 프로세스를 설명한다.

Scale up

해결방안으로 만들어지는 가치를 측정할 수 있도록 한다. 즉, 솔루션을 통해 발생시킬 수 있는 매출, 이익은 어느 정도인지 추정하고, 이를 실현하는 데 필요한 자금내역과 자금 조달방안을 포함한다.

Team

사업 운영을 위한 조직을 소개한다. 계획한 사업을 성공적으로 실행하기 위한 구성원의 역량을 고려하여 조직 구성하는 것이 바람직하다. 따라서, 자체적으로 제품이나 서비스 상품개발역량, 마케팅 역량 등의 보유기술, 경력 등을 포함한다. 또한 채용 예정 인원에 대하여도 포함한다.

빅데이터와 인공지능 기술을 활용한 디지털 마케팅

4) 사업계획 수립을 위한 정보수집

정부 지원 사업에 관심 있는 기업이 증가하고 있다는 것을 기업 컨설팅을 하면서 느낀다. 정부 지원 사업이 현장 중심으로 변화되었다는 긍정적인 측면, 그리고 정부 지원 사업이 많은 기업에 확산하고 있다는 생각이다.

학술정보 사이트, 구글 검색, 통계청 사이트의 데이터를 활용하여 사업계획서를 체계적이고 구체적으로 작성하면, 몇 년 전만 해도 정부 지원 사업에 쉽게 승인을 받았다. 그러나 현재는 참고사이트의 정보를 활용하는 것은 기본이고, 우리 기업의 대상 고객을 대상으로 우리 기업의 상품에 대한 실제 조사 결과를 포함하는 사례가 증가하고 있다. MVP 또는 시제품을 활용한 시장조사를 하였다면, 사업의 문제점을 일차적으로 검증 및 개선하여 어느 정도 사업 가능성을 높였다고 볼 수 있다.

< 사업계획서 작성에 참고할 사이트 >

No.	참고할 사이트	URL 주소
1	기업마당	https://www.bizinfo.go.kr/web/index.do
2	창업포털 K-Startup	https://www.k-startup.go.kr/
3	중소벤처기업부	https://www.mss.go.kr/site/smba/main.do
4	소상공인 진흥공단	https://www.semas.or.kr/web/main/index.kmdc

V. 정부 지원 사업 바로 알기

에필로그

과거에는 주막 주인장이 손님 한 사람 한 사람을 알아보고, 손님의 성향에 맞게 응대하는 것이 가능했다. 그러나 산업혁명으로 고객 한 사람 한 사람의 특성을 고려하여 맞춤형 제품이나 서비스 제공으로 고객 대응하기에는 규모나 다양성에서 쉽지 않게 되었다. 즉, 제품 중심, 생산자 중심의 획일적 마케팅 전략이 적합하였다.

기술의 발전으로 대규모 고객의 다양한 상황에서도 옛 주막에서 이루어지던 고객별 맞춤형 마케팅이 어느 정도 가능해졌다. CRM$^{\text{Customer Relationship Management}}$ 이라는 이름으로 많은 기업에서 고객을 특성별로 분류하고, 그룹핑한 고객의 각각의 특성에 맞는 서비스를 제공하였다. 그룹별 맞춤형 마케팅이 가능하게 되었다.

하지만 지금은 더욱 발전된 기술로 개인화 서비스가 가능해졌다.

고객을 특성별로 그룹핑하지 않고 개개인의 특성에 맞는 맞춤 마케팅이 가능해진 것이다. 때로는 섬뜩할 정도로 나의 일상을 구글, 인터넷 포털 사이트에서 감시하고 있다는 생각이 들 때가 한두 번이 아니다. 내가 자주 가는 곳을 구글에서 알고 있으며, 쇼핑몰에서 검색한 상품을 페이스북에 들어가면 광고 상품으로 만나게 된다. 특히 데이터의 분석 결과도 그 정확도가 획기적으로 높아졌다. 나의 경험 분석, 패턴분석의 결과를 활용한 유튜브에 추천 동영상, 구매정보나 검색정보의 분석정보를 활용한 상품추천 등 다양한 곳에서 활용하고 있다. 기술의 발전으로 상품을 생산하는 역량보다 생산한 상품을 판매하는 마케팅 역량이 더욱 중요해졌다. 과거에는 공장이 있으면 갑이었지만, 현재는 고객이 있으면 갑이 된다. 쉽게 접근하지 못했던 SNS 마케팅이나 빅데이터를 활용한 마케팅 활동의 전반적인 이해와 현장 활용 가능성을 높이는 것에 중점을 두고 책의 내용을 구성했지만, 돌아보면 부족하고 아쉬운 면이 있다.

책의 내용이 기업의 마케팅 전략 수립과 경쟁력 확보에 조금이라도 도움 되었으면 합니다.

저자 김찬기

<참고문헌>

- 강혜림. (2023). 주얼리 3D 모델링의 이커머스 마케팅 활용연구-메타버스 플랫폼을 중심으로. The Journal of the Convergence on Culture Technology JCCT , 9(2), 581-587.
- 권순원(2008), MRO e-marketplace 방식이 구매효과에 미치는 영향, 명지대학교 부동산, 유통경영대학원, 석사학위논문
- 권현정(2021), AIDA 모델을 적용한 관광지 홍보영상이 관광지 방문의도에 미치는 영향, 경희대학교 관광대학원, 석사학위논문
- 김명인(2022), 유통채널 변화에 따른 물류 운영성과 사례분석, 인하대학교 물류전문대학원, 석사학위논문
- 김정구 외(2021), 세계일류의 마케팅 경영, 율곡출판사
- 김찬기(2021), 유튜브 크리에이터되기, 좋은땅 출판사
- 김철수(2023), 챗 GPT와 데이터분석 with 코드 인터프리터, 위키북스
- 박수열(2008), 랩핑광고 Wrapping Advertising의 커뮤니케이션 효과에 관한연구. 홍익 대학교 산업미술대학원 석사학위논문.
- 박찬수(2000), 마케팅 원리, 법문사
- 신승업(2012), 인터넷 환경 변화에 따른 게릴라 마케팅 전략에 관한 연구, 호서대학교 글로벌창업대학원, 석사학위논문

- 연영희, 이백희, 김은하, 박보영, & 유희천. (2015). 포괄적 비즈니스 모델 프레임워크 구축 및 적용: 헬스케어 비즈니스 모델을 중심으로. 대한산업공학회지, 41(6), 530-539.
- 임동학(2003), 컨설팅세일즈, 가림출판사
- 차민영, & 임희주. (2023). 챗 GPT 의 영어 교육적 활용가능성에 대한 대학 교수자 인식 연구. 문화와융합, 45(5), 109-118.
- 한국콘텐츠진흥원. (2021). 빅데이터로 살펴본 메타버스 Metaverse 세계. Kocca focus, 통권 (133호), pp. 5
- Barry, T. E. (1987). The development of the hierarchy of effects: An historical perspective. Current issues and Research in Advertising, 10(1-2), 251-295.
- Felix, R., Rauschnabel, P. A., & Hinsch, C. (2017). Elements of strategic social media marketing: A holistic framework. Journal of Business Research, 70, 118-126.
- Grunig, J. E., & Hunt, T. T. (1984). Managing public relations. Holt, Rinehart and Winston.
- Philip Kotler(2003), Marketing Management, Prentice-hall
- Porter, M. E. (2008). The five competitive forces that shape strategy. Harvard business review, 86(1), 78.

빅데이터와 인공지능 기술을 활용한 디지털 마케팅

빅데이터와 인공지능 기술을 활용한 디지털마케팅

발행 2024년 8월 15일
가격 24,000원

저 자   김찬기
편집자   김찬기
발행처   인라이트컨설팅

출판등록   제2023-000031호
주소   서울시 은평구 통일로 715
전자우편   chanki@konkuk.ac.kr
전화   02-6349-0458
ISBN   979-11-983310-4-5